textes **Gérard Chauvy**

photographies **Gérald Gambier**

Au fil de Lyon

EDITIONS
LA TAILLANDERIE

Jadis capitale des Gaules (Lugudunum ou Lugdunum), berceau de la chrétienté marqué du sang de ses martyrs de l'an 177, grand centre culturel et marchand à la Renaissance, ville de la soie puis vivier industriel au XIXe siècle, Lyon a été au centre des grands événements du XXe siècle, en particulier de la Seconde Guerre mondiale, comme pôle de la Résistance française face à l'occupant nazi. Riche d'un savoir-vivre où l'esprit du goût et le savoir-faire gastronomique prennent toute leur place, la ville a su conserver de son passé tous les atouts, ce qui lui a valu, en 1998, l'inscription au patrimoine de l'Humanité par l'UNESCO, autour de ses centres his-

toriques, Fourvière, la Croix-Rousse et le Vieux-Lyon. Mais Lyon, et son agglomération – symbolisée par le « Grand Lyon » – ont pris une autre dimension, propice à son épanouissement, en ce début du XXIe siècle. Métropole française, elle se positionne aussi parmi les métropoles européennes. Le site « Grand Lyon technopole » en constitue une illustration avec des parcs d'activités où l'innovation et la recherche dans le domaine scientifique et technologique, héritage des pionniers lyonnais du textile ou de l'automobile, intéressent la plupart des secteurs de la vie économique. Quant aux politiques urbaines qui modifient la physionomie lyonnaise (à la Part-

Dieu, à Gerland, Perrache ou sur le site du confluent, là où se rejoignent les deux cours d'eau emblématiques, le Rhône et la Saône), elles préservent heureusement Lyon en tant que site touristique très prisé, où la qualité de vie reste fort appréciée.

• •

Long ago capital of the Gauls (« Lugudunum » or « Lugdunum »), cradle of Christianity marked by the blood of its martyrs of 177 A.D., an important cultural and trading centre during the Renaissance period, city of silk then an important industrial hub during the 19th century, Lyon also played an

important role during the 20th century, in particular during the Second World War, when it served as the centre of French resistance to Nazi occupation. Rich in savoir-vivre, with an emphasis on taste and gastronomic savoir-faire, Lyon has managed to retain all the advantages of its long history, including the city centre's historic districts of Fourvière, Croix-Rousse and Vieux-Lyon (listed as World Heritage Sites by UNESCO in 1998). And in this early 21st century, Greater Lyon is once again in full bloom: the regional French capital is positioning itself as one of Europe's most important cities. The Technopole (Science Park) is a perfect illustration of the city's

ever-growing influence, with innovative research of great economic interest being pursued in diverse scientific and technological domains – the legacy of Lyon's textile and automotive pioneers. As for the city's urban development projects (in the Part-Dieu, Gerland and Perrache districts and at the confluence of the city's two emblematic rivers, the Rhône and the Saône), they happily preserve Lyon's status as a popular tourist destination with an enviable quality of life.

Un tempo capitale dei Galli (Lugudunum o Lugdunum), culla della cristianità segnata dal sangue dei suoi martiri nell'anno 177, gran centro culturale e commerciale nel periodo del Rinascimento, città della seta, poi vivaio industriale nel XIX secolo, Lione è stata al centro dei grandi avvenimenti del XX secolo, in particolare della Seconda Guerra mondiale, come polo della Resistenza francese contro l'occupazione nazista. Ricca di uno stile di vita che dà la giusta importanza al buon gusto e alla raffinatezza gastronomica, la città ha saputo conservare tutti i punti di forza del suo passato che le hanno assicurato, nel 1998, l'iscrizione al patrimonio dell'Uma-

nità da parte dell'UNESCO, intorno ai suoi centri storici: Fourviere, la Croix-Rousse e la Vecchia Lione. Ma Lione e il suo agglomerato – rappresentato dalla "Grande Lione" – hanno acquisito un'altra dimensione, favorevole al suo sviluppo, all'inizio di questo secolo XXI. Metropoli francese, è diventata anche metropoli europea. Il sito "Polo tecnologico della Grande Lione" ne è un esempio, con parchi d'attività in cui l'innovazione e la ricerca nel campo scientifico e tecnologico, eredità dei pionieri Lionesi del tessile o dell'automobile, interessano la maggior parte dei settori della vita economica. Quanto alle politiche urbane che modificano la fisionomia

lionese (Part-Dieu, Gerland, Perrache o sulla confluenza del Rodano e della Saône, i due corsi d'acqua emblematici della città), esse conservano fortunatamente Lione come sito turistico di gran pregio, dove la qualità della vita continua ad essere fortemente apprezzata.

Le Rhône, ses berges et ses ponts
The Rhône, its banks and bridges
Il Rodano, le sue sponde e i suoi ponti

Ce fleuve, venu de la toute proche voisine suisse, que l'on dit « féminin par sa substance, masculin par sa puissance » et souvent « représenté sous les traits d'un vieux colosse dispensateur d'opulence », a conditionné la formation et l'existence de la ville. Le « Rhodanos » grec ou le « Rhodanus » romain, ne viendrait-il pas du celtique « Roth », synonyme de violence et d'impétuosité ? Le Rhône, longtemps capricieux, indompté, dispensateur déraisonnable de crues mémorables et dévastatrices, dont les berges ont assisté pendant longtemps aux évolutions besogneuses des nautes – animateurs du commerce fluvial durant la période romaine – puis des bateliers. Progressivement canalisé, bordé par des quais au profil rassurant, sur ces derniers ont fleuri les plattes – les bateaux-lavoirs lyonnais – les bains flottants, les « bacs à traille » utilisés pour la traversée du fleuve et la navigation de plaisance avec le bateau « Ville de Lyon ». Spectacles d'autrefois, car cédant à la modernité, ses rives furent accaparées par une flottille… automobile. Le début du XXIe siècle a cependant balayé ces aires de stationnement pour transformer les berges du Rhône en parc urbain au fil de l'eau, accessible à tous, au rythme de « séquences paysagères », lieux de promenade, de détente et de divertissement. Au fil aussi de ses ponts. Depuis le premier d'entre eux, construit à la Guillotière, dont la première mention remonte au XIIe siècle, ils ont connu un destin fragile, mouvementé, désormais apaisé. Même si c'est toujours avec une certaine fascination pour le fleuve que ceux qui parcourent Lyon peuvent le franchir sur ses treize ponts, passerelles ou viaducs…

This river, which has its source in nearby Switzerland, is said to be "feminine by its substance, masculine by its power" and is often represented as an old colossus and dispenser of opulence. The river has greatly influenced the city from the time of its founding. The Celtic word "roth", meaning violent and impetuous, is perhaps at the origin of its Greek name "Rhodanos," or "Rhodanus" under the Romans. The Rhône was long a capricious, untamed river, an unreasonable dispenser of memorable, devastating floods, whose unruly waters were for many years navigated by hardworking "nautes" – a brotherhood of inland navigators during the Roman period – and later barge and boatmen. The river was gradually canalized and bordered by embankments, eventually allowing the « plattes » – Lyon's typical washhouse-boats – to flourish, as well as « cable ferries » and pleasure boats such as the *Ville de Lyon*. During the 20th century, the Rhône's banks were taken over by a modern flotilla… of cars. However, recent years have seen these car parks in turn give way to riverside parks and greenbelts, where the city's residents can recharge their batteries as they stroll from bridge to bridge. Lyon's first bridge was built in the La Guillotière district in the 12th century. For many years, the city's bridges were fragile, short-lived constructions, straddling as they did such a tempestuous, turbulent river. Even today's more tranquil waters remain a source of fascination for those crossing the Rhône via its thirteen bridges and viaducts.

Questo fiume che arriva dalla vicina Svizzera e che è definito "femminile per la sostanza, maschile per la potenza" e sovente viene "rappresentato come un vecchio colosso dispensatore di opulenza", ha condizionato la formazione e l'esistenza della città. Il "Rhodanos" greco o il "Rhodanus" romano, non derivano forse dal celtico "Roth", sinonimo di violenza e d'impetuosità? Il Rodano, per molto tempo capriccioso, indomito, dispensatore irragionevole di piene memorabili e devastatrici, le cui sponde hanno assistito a lungo alle evoluzioni alacri dei nautes – animatori del commercio fluviale durante il periodo romano – prima, poi dei battellieri. Progressivamente canalizzato, costeggiato da banchine dal profilo rassicurante, su queste ultime sono nate le plattes – i battelli-lavatoi lionesi – i bagni galleggianti, i traghetti a fune utilizzati per la traversata del fiume e la navigazione da diporto con il battello "Città di Lione". Spettacoli d'altri tempi perché, cedendo alla modernità, le rive furono conquistate da una flottiglia di… automobili. L'inizio del XXI secolo ha nel frattempo spazzato via queste aree di parcheggio per trasformare le sponde del Rodano in parco urbano vicino all'acqua accessibile a tutti, al ritmo di "sequenze paesaggistiche", luoghi per passeggiare, rilassarsi e divertirsi. Vicino anche ai suoi ponti. Dai tempi del primo di loro, costruito presso la Guillotière e citato per la prima volta nel XII secolo, essi hanno avuto un destino fragile, movimentato, ora calmo. Anche se chi, percorrendo Lione e attraversando il fiume sui suoi tredici ponti, passerelle o viadotti, guarda sempre con un certo fascino le acque maestose…

La Saône, ses ponts, ses passerelles et le confluent
The Saône, its bridges and confluence with the Rhône
La Saône, i suoi ponti, le passerelle e la confluenza

Elle est réputée paresseuse – Jules César, dans sa « Guerre des Gaules », disait qu'elle coule « avec une si incroyable lenteur que l'œil ne peut juger de la direction de son cours »- mais elle est pourtant capable de grosses colères en sortant brutalement de son lit. « L'Arar » celtique, devenue « Sauconna » ou « Eau sacrée » pour les Romains, pour apparaître sous son nom actuel, la Saône, est souvent représentée comme la compagne du Rhône. Quoi de plus naturel, puisque les deux cours d'eau se rejoignent, après avoir caressé la ville de leurs eaux, au confluent qui se referme sur cette dernière. Un confluent qui a toujours suscité des plans destinés à l'agrandissement de Lyon, prisonnière de son élément liquide à qui elle doit pourtant beaucoup. Au XVIIIe siècle l'ingénieur Perrache projeta d'allonger cette Presqu'île lyonnaise, une des originalités de la configuration de la ville. Ce projet demeura inachevé, faute de moyens, compliqué plus tard par l'implantation du chemin de fer et de la gare de Perrache en 1857 puis, au siècle suivant, par la coupure autoroutière. Il faut attendre l'aube du XXIe siècle pour que la « Confluence » voit le jour, vaste ensemble qui conjugue trait d'union économique et lieu festif, transformant son visage urbain tourné vers le sud. Logements, bureaux, commerces mais également espaces publics, destinés aux loisirs avec un « parc Saône » faisant sa part à l'élément végétal. Car dame Saône se prête aussi au tourisme fluvial et bien avant le confluent, en passant sous ses quinze ponts, passerelles et viaducs, dès l'entrée de l'île Barbe et le passage de Pierre Scize, parcours souvent emprunté par d'illustres visiteurs, reines et rois compris, elle sait user de son charme langoureux.

The Saône River has a reputation for being lazy. Julius Caesar, in his *Gallic Wars*, wrote that it flows "so incredibly slowly that the eye cannot discern any current." And yet, the Saône has been known to violently overflow its banks. The Celt's "Arar" and later the Romans' "Sauconna" or "Holy Water" has often been represented as the Rhône's companion. This is only natural, for the two rivers merge into one at the southern edge of Lyon after caressing the city with their waters. This confluence has long inspired plans for the expansion of Lyon, a city at once prisoner and beneficiary of its waters. In the 18th century, the engineer Antoine-Michel Perrache made plans for the extension of Lyon's "Presqu'île," this peninsula in the very centre of the city. The project never got off the ground, due to a lack of funds and later complicated by the building of the railroad and Perrache railway station in 1857, as well as the following century's motorway. It wasn't until the beginning of the 21st century that work on the long-awaited "Confluence" finally began: a vast redevelopment project in southern Lyon successfully marries economic stimulation with improved quality of life. Not only housing, offices and shops, but also public spaces given over to leisure activities, with a « Saône Park » providing plenty of greenery. The Saône River lends itself particularly well to river tourism and knows how to turn on its languorous charm well upstream of the confluence, passing beneath its fifteen bridges and viaducts, beginning with the entrance to the Ile Barbe and the Passage de Pierre Scize, a route often taken by illustrious visitors, including kings and queens.

Il fiume è considerato pigro – Giulio Cesare, nel suo "De bello Gallico", diceva che scorre "con una tale incredibile lentezza che l'occhio non può valutare la direzione del suo corso" – ma è anche capace di grosse collere, uscendo violentemente dal suo letto. "L'Arar" celtico, diventato "Sauconna" o Acqua Sacra "per i Romani, per prendere poi il suo nome attuale – Saône – è spesso rappresentato come compagna del Rodano. Nulla di più naturale, poiché i due corsi d'acqua, dopo aver lambito con le loro acque la città, confluiscono racchiudendo quest'ultima. Una confluenza che ha sempre dato origine a piani destinati all'ampliamento di Lione, prigioniera del suo elemento liquido al quale peraltro deve molto. Nel XVIII secolo l'ingegner Perrache progettò di allungare la penisola Lionese, una delle originalità della configurazione della città. Questo progetto restò incompiuto per mancanza di mezzi, complicato in seguito dalla realizzazione della ferrovia e della stazione di Perrache nel 1857 poi, nel secolo seguente, dal tracciato dell'autostrada. Bisogna aspettare l'alba del XXI secolo perché veda la luce la "Confluenza", vasto insieme che combina aspetti di tramite economico e di luogo di svago e che trasforma il fronte urbano rivolto a sud. Abitazioni, uffici, esercizi commerciali ma anche spazi pubblici, destinati ai divertimenti con un "Parco Saône" che contribuisce all'elemento vegetale. Perché la Signora Saône si presta anche al turismo fluviale e, ben prima della confluenza, passando sotto i suoi quindici ponti, passerelle e viadotti, dall'entrata dell'isola Barbe e dal passaggio Pierre Scize (percorso spesso frequentato da illustri visitatori, compresi re e regine), essa sa usare il suo fascino languido.

Le Lion symbole
The Lyon Lion
La Lione simbolo

« Avant! avant! Lion le melhor!», la devise de la ville est empruntée au cri de ses habitants, conduits par les bourgeois lyonnais, en révolte, en 1269, contre le pouvoir ecclésiastique. Mais ce « lion » ainsi orthographié est-il en rapport direct avec celui qui apparaît dans les armes de la ville ? Celles-ci comportent, selon des lettres patentes de 1819, « outre le chef d'azur aux trois fleurs de lys d'or, symbole de l'adhésion de Lyon à l'unité française, le lion d'argent sur fond de gueules, tenant dans sa patte supérieure une épée haute d'argent ». Mais, rappelle Louis Jasseron, un érudit lyonnais, ne peut-on pas supposer « que notre ville a adopté le lion pour faire un jeu de mots avec son propre nom » ? À l'origine, « le lion des premiers Comtes de Lyon était sans doute le souvenir d'une bannière prise aux croisades », animal héraldique que nous retrouvons d'ailleurs sur les écus d'autres villes ou provinces. « Son nom latin (leo, leonem) se disait « lion » en français bien avant que le nom de notre ville se fût fixé dans sa forme actuelle ». Or « l'évolution phonétique qui a conduit de « Lugudunum » à Lyon, en passant par « Leuden », Lodon », puis « Léon » au XIIᵉ siècle, n'a pas été la même partout ». Sur une douzaine de « Lugudunum » recensés, « trois seulement ont donné « Lihons », « Lion » et « Lyon ». Ainsi, « il n'est pas impossible que le peuple lyonnais ait adopté cette forme en s'inspirant du lion de ses armes. Le « Y » finissant par marquer la différence entre le nom de notre ville et celui de l'animal. »

"Forward! Forward! Lion le Melhor!» Lyon's motto was taken from the cry of its inhabitants during the 1269 bourgeois-led revolt against the Church. But is this « Lion » spelled with an « i » directly related to the lion of the city's coat of arms? According to letters of patent dating from 1819, these include « in addition to the azure-coloured chief with three golden fleur-de-lis, symbolizing Lyon's adhesion to French unity, a silver lion on a gules [red] field, holding up a long silver sword. » However, as Louis Jasseron, a Lyon scholar, points out, might we not assume that « our city adopted the lion as a play on its own name »? In the beginning, the lion of the early Counts of Lyon was undoubtedly taken from a banner used during the Crusades; indeed, this heraldic animal can be seen on the coats of arms of various other cities and provinces. Its Latin name (leo, leonem) had become « lion » in French well before the name of our city had assumed its present fixed spelling. However, the phonetic evolution that saw « Lugudunum » become « Leuden, » « Lodon, » « Léon » during the 12th century, and finally Lyon, varied from region to region. From a dozen recorded "Lugudunum," "only three eventually became "Lihons," "Lion" and "Lyon." Therefore, it is possible that the citizenry of Lyon was inspired to adopt this particular form by their city's coat of arms. The "Y" was used to differentiate the name of our city from that of the animal.

"Avant! Avant! Lion le melhor!", il motto della città è tratto dal grido dei suoi abitanti, capeggiati dai borghesi lionesi, in rivolta, nel 1269, contro il potere ecclesiastico. Questo "leone", secondo la grafia originale del motto, è in rapporto diretto con quello che appare sullo stemma della città? Lo stemma comprende, secondo le lettere di licenza del 1819, "oltre al capo azzurro con i tre gigli d'oro, simbolo dell'adesione di Lione all'unità francese, il leone d'argento in campo rosso che tiene alta nella zampa anteriore una spada d'argento". Ma come ricorda Louis Jasseron, un erudito lionese, non si può supporre "che la nostra città abbia adottato il leone per creare un gioco di parole con il proprio nome"? In origine, "il leone dei primi Conti di Lione era senza dubbio il ricordo di uno stendardo preso alle crociate", animale araldico che ritroviamo peraltro sugli scudi di altre città o province. "Il suo nome latino (leo, leonem) si diceva "lion" in francese molto prima che il nome della nostra città si fosse stabilizzato nella forma attuale". Ora, "l'evoluzione fonetica che ha portato da "Lugudunum" a Lione, passando per "Leuden", "Lodon", poi "Léon" nel XII secolo, non è stata la stessa dappertutto". Su una dozzina di "Lugudunum" recensite, soltanto tre hanno dato "Lihons", "Lion" e "Lyon". Perciò non è impossibile che il popolo lionese abbia adottato questa forma ispirandosi al leone del proprio stemma. La "Y" finisce per segnare la differenza tra il nome della nostra città e quello dell'animale.

Aqueducs romains
Roman aqueducts
Acquedotti romani

S'il fallait démontrer l'importance de Lugdunum capitale des Gaules, sans doute ferions-nous référence à ces monumentales constructions – illustrant le savoir-faire des ingénieurs romains de l'Antiquité – destinées à procurer de l'eau à ses habitants. Si Rome possédait à son apogée onze aqueducs, ils étaient au nombre de quatre à fonctionner pour notre ville, provenant, par ordre décroissant (de longueur), des secteurs du Gier, de la Brévenne, de l'Yzeron et du Mont d'Or. L'écrivain François René de Chateaubriand les décrivit en son temps (au XIXe siècle), déjà éprouvés par les ans : « Plantés les uns sur les autres, les portiques aériens, en découpant le ciel, promènent dans les airs le torrent des âges et le cours des ruisseaux ». Aujourd'hui, il ne reste de ces magnifiques constructions que des vestiges qui possèdent encore une majesté certaine. C'est le cas surtout, à proximité de Lyon, pour l'aqueduc du Gier avec ses onze tunnels à Mornant, ses tronçons aériens à Chaponost ou encore sur Sainte-Foy-lès-Lyon le pont-siphon de Beaunant. Sur Lyon, quelques arches ont survécu au temps et aux hommes. Ainsi rue Radisson, intégrés au site, découvre-t-on des restes de l'aqueduc du Gier qui débouchait sur un immense réservoir au-dessus du théâtre antique de Fourvière.

These monumental constructions today testify to the importance of ancient Lugdunum, the Gallic capital, as well as the ingenuity of the Roman engineers. While Rome counted eleven aqueducts at the height of its reign, Lyon had four, bringing water to the city from the sectors of (in decreasing order of length) Le Gier, La Brévenne, L'Yzeron and Le Mont d'Or. When François René de Chateaubriand described them in the 19th century, they were already well worn by the passing years: "Set one atop the other, the aerial porticos, cutting across the sky, carry through the air the torrent of ages and the course of brooks." Today, only the vestiges remain of these magnificent constructions. The Gier aqueduct near Lyon is especially majestic, with its eleven tunnels in Mornant, its aerial sections in Chaponost and the Beaunant "siphon-bridge" in Sainte-Foy-les-Lyon. In Lyon proper, a few arches have managed to survive both time and man; for example, on Rue Radisson, vestiges of the Gier aqueduct can still be seen, where it once emptied into the immense reservoir above the ancient Fourvière Theatre.

Se occorresse dimostrare l'importanza di Lugdunum capitale dei Galli, senza dubbio faremmo riferimento a quelle monumentali costruzioni – testimonianze del know-how degli antichi ingegneri romani – destinate a fornire l'acqua ai suoi abitanti. Se Roma possedeva, al suo apogeo, undici acquedotti, erano quattro quelli in funzione per la nostra città, provenienti, in ordine decrescente di lunghezza, dai settori del Gier, de la Brévenne, dell'Yzeron e del Mont d'Or. Lo scrittore François René de Chateaubriand li descriveva ai suoi tempi (nel XIX secolo) come già provati dagli anni: "Piantati gli uni sugli altri, i portici aerei che tagliano il cielo trasportano nell'aria il torrente delle età e i corsi dei ruscelli". Oggi, di queste magnifiche costruzioni restano solo ruderi che conservano ancora una certa maestosità. È questo soprattutto il caso, in prossimità di Lione, dell'acquedotto del Gier con i suoi undici tunnel a Mornant, i suoi tratti aerei a Chaponost o anche su Sainte-Foy-les-Lyon, il ponte-sifone di Beaunant. A Lione, alcuni archi sono sopravvissuti al tempo e agli uomini. Così in rue Radisson si possono scoprire, integrati nella struttura urbana, resti dell'acquedotto del Gier che sboccava su un immenso serbatoio sopra l'antico teatro di Fourvière.

Le théâtre de Fourvière et le musée gallo-romain
The Fourvière Theatre and the Gallo-Roman Museum
Il teatro di Fourvière e il museo gallo-romano

Ce théâtre figure comme l'un des plus anciens de l'époque romaine. Probablement construit sous le règne d'Auguste – vers 15 avant J.-C. – il aurait été agrandi bien après, sous l'empereur Hadrien – vers 120 après J.-C. –, portant sa capacité à 10 000 places. Ce n'est que tardivement qu'il a été dégagé puisqu'en 1933, sous l'impulsion du maire de Lyon Édouard Herriot, ont commencé des fouilles, sous la direction de Philippe Fabia et de Germain de Montauzan. Elles permirent de le dégager alors que l'Odéon voisin, construit vraisemblablement vers la fin du Ier siècle ou au début du IIe siècle de notre ère, constitue, avec celui de Vienne, le seul actuellement connu en Gaule. À proximité, le musée de la Civilisation gallo-romaine, inauguré en 1975, œuvre de l'architecte Bernard Zehrfuss, contient pratiquement cinq siècles de découvertes lyonnaises et, depuis la préhistoire et la protohistoire, retrace, de la création de Lugdunum jusqu'au développement du christianisme, l'origine et l'existence de la « capitale des Gaules ». Si des maquettes permettent des reconstitutions, mosaïques, collections lapidaires – du calendrier gaulois à la table claudienne –, font partie dans ce musée de riches et nombreuses collections rassemblées au fil des siècles par des érudits lyonnais ou des archéologues, grâce aux fouilles successives, alors que des découvertes ne cessent d'être faites de nos jours dans les entrailles de la ville.

This is one of the oldest Roman theatres still in existence. Probably constructed during the reign of Augustus (ca 15 B.C.), it was most likely enlarged many years later, under Emperor Hadrian (ca 120 A.D.), bringing its seating capacity up to 10,000. It remained buried for many years and was only uncovered in 1933, when excavation work was finally begun at the site, at the behest of the then mayor of Lyon, Édouard Herriot, and under the direction of Philippe Fabia and Germain de Montauzan. The neighbouring Odeon, most likely built between the end of the 1st century and the beginning of the 2nd century A.D., is the only one of its kind in Gaul, outside that of Vienne. The nearby Gallo-Roman Museum, designed by architect Bernard Zehrfuss and inaugurated in 1975, houses nearly five centuries of local finds. From prehistorical and protohistorical times, the museum retraces the origin and history of the "Capital of the Gauls," from the founding of Lugdunum up until the spread of Christianity. In addition to models used for reconstitutions, the museum houses many rich collections, including mosaics and lapidary collections – from the Gallic calendar to the "Claudius Table" – amassed over the centuries by local scholars and archaeologists. Indeed, important finds are still being made to this day within the city.

Questo teatro è uno dei più antichi dell'epoca romana. Probabilmente costruito sotto il regno di Augusto – intorno al 15 avanti Cristo – sarebbe stato ingrandito molto tempo dopo, sotto l'imperatore Adriano – intorno al 120 dopo Cristo – portando la sua capacità a 10.000 posti. È stato scoperto solo in tempi relativamente recenti, nel 1933, quando sotto l'impulso del sindaco di Lione Édouard Herriot, iniziò una campagna di scavi diretti da Philippe Fabia e Germain de Montauzan. Essi permisero di scoprirlo quando il vicino Odeon, costruito verosimilmente intorno alla fine del I o all'inizio del II secolo della nostra era, rappresentava all'epoca, con quello di Vienna, il solo teatro conosciuto in Gallia. Nelle vicinanze, il museo della Civiltà gallo-romana, opera dell'architetto Bernard Zehrfuss inaugurata nel 1975, contiene in pratica cinque secoli di scoperte lionesi e, dopo la preistoria e la protostoria, illustra l'origine e l'esistenza della "Capitale dei Galli" dalla creazione di Lugdunum fino allo sviluppo del cristianesimo. Oltre alle ricostruzioni realizzate con modelli in scala, mosaici, collezioni lapidarie – dal calendario gallese alla tavola claudiana – fanno parte in questo museo di ricche e numerose collezioni raccolte durante i secoli da eruditi lionesi o da archeologi, grazie agli scavi successivi; mentre altri reperti continuano a venire alla luce nei nostri giorni dalle viscere della città.

L'amphithéâtre de la Croix-Rousse et ses martyrs
The Croix-Rousse Amphitheatre and its Christian martyrs
L'Anfiteatro della Croix-Rousse e i suoi martiri

Son nom ? « Amphithéâtre des trois Gaules » (groupant la Lyonnaise, l'Aquitaine et la Gaule Belgique). C'est sous le règne de l'empereur Auguste que la cité, où ce dernier séjourne de 16 à 13 avant J.-C., a connu le début de son rayonnement. D'autres empereurs y vécurent (comme Caligula et Hadrien), et Claude, né à Lugdunum, lui prodigua de nombreuses largesses. Capitale administrative et religieuse aussi, à tel point que l'empreinte naissante du christianisme demeure incrustée avec ce drame survenu en l'an 177. Dans l'amphithéâtre où l'on organisait les jeux et les fêtes populaires, ces combats de gladiateurs et autres réjouissances souvent féroces, se déroula le martyre des premiers chrétiens. L'esclave Blandine, le noble Attale, Alexandre le médecin venu de Phrygie, ils étaient parmi ceux que Marc-Aurèle avait ordonné de soumettre aux supplices, sauf s'ils reniaient leur foi. L'évêque Pothin, un vieillard de 90 ans, mourut sous les coups, Blandine, que les fauves épargnèrent, expira en refusant « de jurer par les idoles ». Les corps démantelés furent exposés et livrés aux flammes, les cendres dispersés dans le Rhône. Loin d'étouffer la religion nouvelle, cette persécution ne fit que la propager sur tout le sol gaulois et même au-delà. Irénée, successeur de Pothin à la tête de l'Église de Lyon et de Vienne, devait fortifier l'action évangélisatrice. Ce lieu, visité par le pape Jean-Paul II en octobre 1986, demeura longtemps ignoré, révélé seulement lors de fouilles menées à partir du milieu du XXᵉ siècle et sa dédicace, retrouvée en 1958, situe en 19 après J.-C. sa construction.

This amphitheatre was known as the « Amphitheatre of the Three Gauls, » for the Lyon, Aquitaine and Belgian regions. It was under the reign of Augustus, who stayed in the city from 16 to 13 B.C., that the city first began to extend its influence. Later emperors, including Caligula and Hadrian, would also live there, and Claudius, who was actually born in Lugdunum, lavished money on his native city. Lyon was also an administrative and religious capital; indeed, the city was indelibly marked by a religious persecution that took place in 177 A.D., during the early days of Christianity. In the amphitheatre were held popular games and oftentimes fiercely violent Roman festivities, including gladiator combats; it was also an early scene of Christian martyrdom. Blandine the slave, Attalus the nobleman and Alexander the doctor from Phrygia were among those whom Marcus Aurelius ordered to be tortured unless they renounced their faith. 90-year-old Pothinus, an early bishop, was beaten to death, while Blandine, whom the lions spared, died refusing to swear allegiance to idols. Their torn bodies were exposed to the public before being burned and their ashes thrown into the Rhône. Far from smothering the nascent religion, this persecution only helped it spread throughout Gaul and even beyond. Irénée, Pothinus's successor at the head of the Lyon and Vienne Church, further strengthened the evangelical effort. This site, visited by Pope John Paul II in 1986, remained lost for many years and was only uncovered by digs carried out in the mid 20ᵗʰ century. Its consecration stone, which was uncovered in 1958, dates its construction to 19 A.D.

Il suo nome? "Anfiteatro delle tre Gallie" (la Lionese, l'Aquitania e la Gallia Belga). Sotto il regno dell'imperatore Augusto, che vi soggiornò dal 16 al 13 avanti Cristo, ebbe inizio lo splendore della città. Vi vissero altri imperatori (come Caligola e Adriano), e Claudio, nato a Lugdunum, le destinò numerose donazioni. Capitale amministrativa nonché religiosa, al punto che l'impronta nascente del cristianesimo resta segnata da questo dramma avvenuto nell'anno 177. Nell'anfiteatro dove si organizzavano i giochi e le feste popolari, combattimenti di gladiatori e altri divertimento spesso crudeli, avvenne il martirio dei primi cristiani. La schiava Blandina, il nobile Attalo, Alessandro il medico venuto dalla Frigia, furono alcuni di coloro che Marco Aurelio aveva ordinato di sottoporre ai supplizi, a meno che non rinnegassero la loro fede. Il vescovo Potino, un vecchio di 90 anni, morì sotto i colpi, Blandino, risparmiato dalle belve, spirò rifiutandosi "di giurare sugli idoli". I corpi smembrati furono esposti e dati alle fiamme, le ceneri disperse nel Rodano. Lungi dal soffocare la nuova religione, questa persecuzione non fece che propagarla su tutto il territorio gallico e oltre. Ireneo, successore di Potino come capo della Chiesa di Lione e di Vienna, dovette intensificare l'azione evangelizzatrice. Questo luogo, visitato dal papa Giovanni Paolo II nell'ottobre 1986, restò per lungo tempo ignorato e fu riscoperto solamente in occasione degli scavi eseguiti a partire dalla metà del XX secolo. Una dedica scoperta nel 1958 ne fa risalire la costruzione al 19 dopo Cristo.

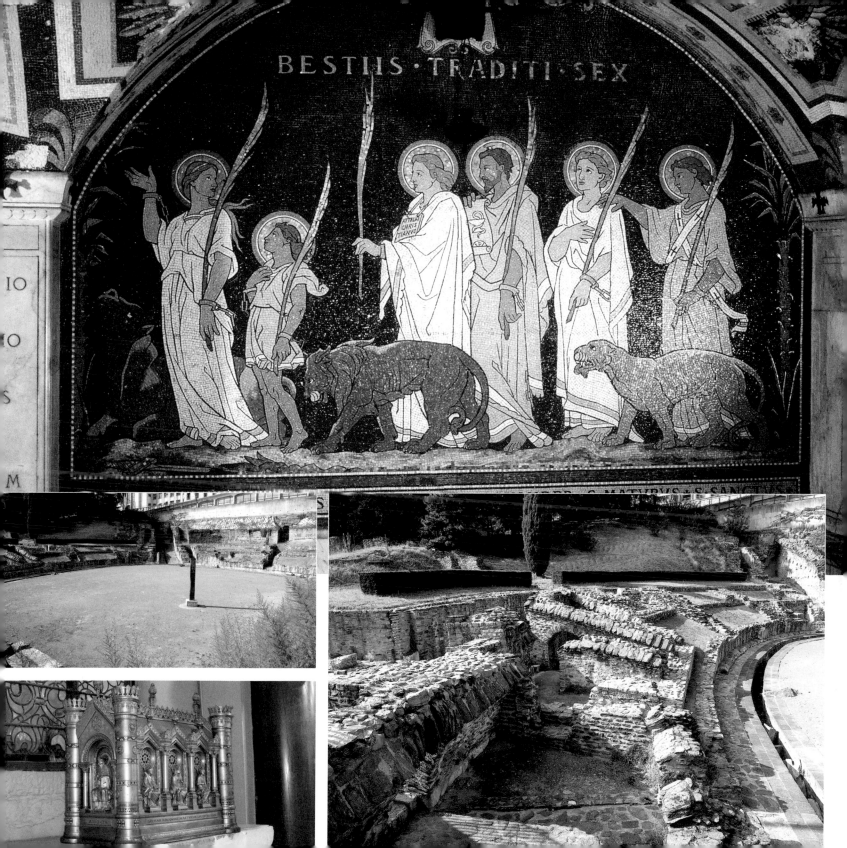

Le Vieux-Lyon
Old Lyon
La Vecchia Lione

Géographiquement installé entre la rive droite de la Saône et le pied de la colline de Fourvière, le « Vieux-Lyon », succédant aux fastes de la période romaine, est né d'un reflux d'une partie de la population au pied de cette colline qui n'exerçait plus la même attraction. Dans cette « ville basse », les constructions s'établissent à la mesure de l'étroitesse des lieux, autour d'un groupe épiscopal (un baptistère, une cathédrale, une église). D'autres édifices, dès le Moyen Âge, abritent des dignitaires, des religieux, dont la demeure du puissant archevêque, mais le XVe siècle provoque un nouvel élan. Riches marchands et banquiers, venus d'Allemagne ou d'Italie, côtoient ceux qui tissent la soie, œuvrent pour le livre avec les premiers imprimeurs et des libraires, ou ceux qui travaillent les métaux précieux. De nombreux artistes, poètes et savants vivent dans ce quartier constitué par ses trois « paroisses » et églises, Saint-Georges, Saint-Jean et Saint-Paul. Il recèle aussi bon nombre de ces pittoresques « traboules » lyonnaises (ces artères étroites qui communiquent entre cours et immeubles) et qui constituent le plus grand ensemble Renaissance de France et le deuxième d'Europe après Venise. Menacé dans son existence au XIXe et jusqu'au milieu du XXe siècle, restauré dans le respect du style qui fait tout son charme, il est finalement et heureusement devenu l'un des sites lyonnais classés au patrimoine mondial de l'Unesco. Propre à la flânerie, à la vie nocturne, séduisant ceux qui souhaitent admirer l'architecture et l'architectonique de la période médiévale et de l'époque renaissance omniprésentes, le Vieux- Lyon s'offre à la découverte.

Located between the right bank of the Saône and the foot of Fourvière hill, "Old Lyon," following the splendours of the Roman period, was the place where part of the population had settled, in a considerably less attractive place. In this narrow "lower town," construction centred around a baptistry, a cathedral and a church. Beginning in the Middle Ages, other buildings housed dignitaries and members of the Church, including the city's powerful archbishop. In the 15th century, the area enjoyed a further boost with the arrival of wealthy merchants and bankers from Germany and Italy and the development of the silk, book-printing and precious-metal trades. This district, made up of three parishes and churches (Saint Georges, Saint Jean and Saint Paul), is home to numerous artists, poets and scholars. It also boasts a fair number of picturesque « traboules » (old alleyways linking the city's courtyards and buildings) and constitutes the largest Renaissance-era architectural site in France and the second largest in Europe (after Venice). Old Lyon was threatened with destruction in the 19th and up until the mid-20th centuries. It has since been restored, respecting its unique, charming style, and was finally listed as a UNESCO World Heritage Site. Well suited to strolling, Old Lyon charms visitors with its medieval and Renaissance-era architecture, as well as its rich night life.

Geograficamente collocata tra la riva destra della Saône e ai piedi della collina di Fourvière, la "Vecchia Lione", dopo i fasti del periodo romano, è nata dall'esodo di una parte della popolazione ai piedi di questa collina che non esercitava più la stessa attrattiva. In questa "città bassa", le costruzioni si ergono, in funzione dell'angustia dei luoghi, intorno a un gruppo episcopale (un battistero, una cattedrale, una chiesa). A partire dal Medio Evo, altri edifici, compresa la residenza del potente arcivescovo, ospitano dignitari e religiosi; ma è dal XV secolo che si registra un nuovo slancio. Ricchi mercanti e banchieri, venuti dalla Germania o dall'Italia, affiancano i tessitori della seta, i primi tipografi e librai, o chi lavora i metalli preziosi. Numerosi artisti, poeti e sapienti vivono in questo quartiere formato dalle tre "parrocchie" e chiese di S. Giorgio, S. Giovanni e S. Paolo. Esso cela anche un buon numero di quei pittoreschi "traboules" lionesi (passaggi stretti tra corsi ed edifici) che costituiscono il più grande complesso Rinascimentale di Francia e il secondo in Europa dopo Venezia. Minacciato nella sua esistenza dal XIX secolo fino a metà del XX secolo, restaurato nel rispetto dello stile che ne costituisce il fascino, è finalmente e fortunatamente diventato uno dei luoghi lionesi inseriti nel patrimonio mondiale dell'Unesco. Adatto al vagare senza meta e alla vita notturna, ricco di seduzioni per chi vuole ammirare l'architettura e l'architettonica del periodo medievale e dell'epoca rinascimentale seduce quelli che vorrebbero ammirare l'architettura e l'urbanistica del periodo medioevale e dell'epoca rinascimentale, onnipresenti.

< La loge du Change   ⋀ L'impasse Turquet

⋀ La cour de l'hôtel de Gadagne

Tourelle au 22, rue Juiverie

∨ Ici est né Guignol

∧ Maison des Mayet de Bauvoir

Maison Thomassin

16, rue du Bœuf

Montée du Gourguillon

∨ 3, place du Change   ∧ 4, rue Juiverie

∨ 23, rue Juiverie   ∧ Rue Juiverie   ⟩ 7, rue Saint-Jean

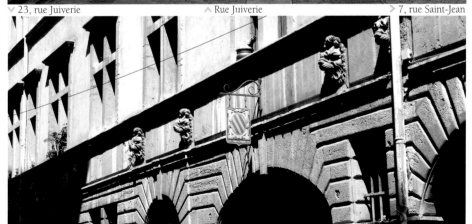

Les traboules
The "traboules"
Le traboules

Vous avez dit « trabouler » ? Si l'on emprunte à quelques érudits locaux, le verbe viendrait d'une combinaison latine faite de « trans » (à travers) et « ambulare » (se déplacer). « Passer à travers » est bien en tout cas la définition qui convient puisque la « traboule », le passage qui s'y rapporte, est « une allée qui traverse un pâté de maisons d'une rue à une autre rue ». Sans doute, des gens mal intentionnés vous diront que ces boyaux couverts, économisant de la surface, correspondent au caractère du « gone » (le mot qui désigne le Lyonnais) réputé près de ses sous. Plus sérieusement, on remarquera que la traboule s'adapte bien au goût du secret prêté au lyonnais et d'ailleurs, hormis les guides qui lui sont consacrés, elle n'apparaît pas officiellement sur les plans de la ville. Où la trouve-t-on ? Pour une grande part située en terrain privé – ce qui rend souvent son accès difficile quand il n'est pas parfois interdit –, vous pouvez néanmoins la découvrir dans le Vieux-Lyon, la Presqu'île ou à la Croix-Rousse. Si elle est recouverte d'une chape de mystère, elle a servi sans doute, au fil des siècles, aux Lyonnais traqués à se dissimuler ou à s'échapper. Mais, en levant la tête, malgré la pénombre, vous observerez, de son tenant à son aboutissant, – souvent une cour intérieure –, des particularités architecturales remarquables. Suivez un bon guide, et ne vous évertuez pas du premier coup à toutes les parcourir. On estime le nombre de traboules à environ 200 dans le Vieux Lyon, 160 sur les pentes de la Croix-Rousse, 130 dans la Presqu'île et à une dizaine sur le plateau de la Croix-Rousse…

Are you familiar with the French verb "trabouler"? Local scholars believe the word is a combination of the Latin "trans" (meaning "through") and "ambulare" (meaning "to move around"). "Going through" is in any case a good definition, since Lyon's typical "traboules" are alleyways passing from street to street through blocks of houses. Certain ill-intentioned people will no doubt tell you that these narrow covered passageways simply economize surface area and therefore correspond to the Lyon residents' reputation for being tight-fisted. More seriously, it will be noticed that the traboules suit the Lyon resident's reputed taste for secrecy: except for a few specialized guide books, these alleyways do not even appear on the city maps. Where can they be found? Many of them pass through private property, making them difficult if not impossible to access. However, you can still see them in Old Lyon and the Presqu'île and Croix-Rousse districts. If they're covered in mystery, it's no doubt because for centuries they allowed certain residents to hide or escape from their pursuers. However, if you look up, you'll observe, despite the lack of light, remarkable architectural particularities from entry to exit (often an interior courtyard). Follow a good guide, but don't plan on visiting all of them in one day: there are an estimated 200 traboules in Old Lyon, 160 on the slopes of the Croix-Rousse, 130 in the Presqu'île and a dozen on the Croix-Rousse plateau!

Avete detto « trabouler » ? Stando ad alcuni eruditi locali, il verbo deriverebbe da una combinazione latina fatta da "trans" (attraverso) e "ambulare" (spostarsi). "Passare a traverso" è comunque la definizione più adatta, perché la "traboule", il passaggio al quale si riferisce, è "un passaggio che attraversa un isolato di case da una strada a un'altra". Senza dubbio, i malevoli vi diranno che questi cunicoli coperti, che economizzano la superficie, corrispondono al carattere del "gone" (la parola che designa il Lionese), considerato avaro. Più seriamente, si noterà che la traboule si adatta bene al gusto per il segreto attribuito al lionese e d'altronde, tranne che sulle guide ad essa dedicate, non appare ufficialmente sulle mappe della città. Dove si trova? Tracciata prevalentemente su terreni privati – cosa che rende spesso l'accesso molto difficile, se non addirittura vietato – potete nondimeno scoprirla nella Vecchia Lione, nella Penisola o alla Croix-Rousse. Se è coperta da un alone di mistero, è servita senza dubbio, nel corso dei secoli, ai Lionesi braccati, per nascondersi o per scappare. Alzando la testa, nonostante la penombra, potrete osservare dall'inizio alla fine – spesso un cortile interno – notevoli particolarità architettoniche. Seguite una buona guida e non accanitevi nel volerle percorrere tutte la prima volta: si stima che le traboule siano circa 200 nella Vecchia Lione, 160 sui pendii della Croix-Rousse, 130 nella Penisola e una decina sul pianoro della Croix-Rousse…

22, rue Juiverie

⌄ 16, rue Juiverie ⌃ 2, pl. du Gouvernement

⌄ 10, quai Pierre-Scize   ⌃ Maison du Chamarier   ⌄ 42, rue Saint-Jean

9, place Colbert

⌃ 10, rue Lainerie

⌄ 27, quai Saint-Antoine

20, rue Juiverie

14, rue du Bœuf

∧ 5, rue Joseph-Serlin   ∨ 27, rue Saint-Je

18, rue Saint-Jean   ∧ Restaurant La Tour Rose   ∨ 37, rue Saint-Jean   ∧ 9, rue Saint-Jean

∧ 12, rue Fernand-Rey   ∨ 28, rue Saint-Jean   2, rue Saint-Georges   2, rue des Forces   3, rue Romarin

La galerie Philibert Delorme
The Philibert Delorme gallery
La galleria Philibert Delorme

S'il fallait illustrer le rayonnement de Lyon au temps de la Renaissance en se référant à un architecte, sans doute pourrions-nous citer Philibert Delorme (ou de l'Orme). Né vers 1510 dans cette ville, fils de maître maçon, sa formation s'effectua sur les chantiers de son père. Conscient, jusqu'à la suffisance diront ses rivaux, de ses grandes capacités, c'est en Italie, de 1533 à 1536, qu'il développe sa culture artistique en étudiant les modèles de l'Antiquité et les nouveautés italiennes. Revenu dans sa ville, il exécute des travaux pour le compte d'Antoine Bullioud, contrôleur général des finances de Bretagne – mais issu d'une grande famille lyonnaise – et dote son hôtel du 8 de la rue Juiverie – dans le Vieux-Lyon – d'une remarquable galerie, superposant ordre dorique et ordre ionique. Son talent lui valut la faveur royale sous François 1er avant de devenir surintendant des bâtiments sous Henri II, ce qui lui permet de contrôler presque tous les chantiers royaux et d'occuper sous ce règne la place de premier architecte français. S'il a construit, de 1547 à 1552, avec le château d'Anet, dédié à Diane de Poitiers, l'ouvrage qui déploie le plus librement son génie, Philibert Delorme (mort à Paris en 1570) est aussi l'auteur de plusieurs ouvrages théoriques (dont « le Premier tome de l'Architecture » paru en 1567).

If one had to name a single architect to illustrate Lyon's influence during the Renaissance period, it would undoubtedly be that of Philibert Delorme (or sometimes "de l'Orme"). Born to a master mason in 1510 in Lyon, he began his apprenticeship under his father. Conscious of his own great talents – to the point of smugness, according to his rivals – Delorme travelled to Italy, where he furthered his artistic knowledge from 1533 to 1536 by studying both models from antiquity and new Italian works. Upon his return to Lyon, he went to work for Antoine Bullioud – who was General Financial Controller for Brittany, but came from an important Lyon family – designing for his residence at 8 Rue Juiverie in Old Lyon a remarkable gallery, superposing the Doric and Ionic orders. His talent won him royal favour under Francis I and earned him the title of Superintendant of Buildings under Henry II, allowing him to oversee almost all royal construction projects and become France's number one architect. Château d'Anet, which he built from 1547 to 1552 for Diane de Poitiers, provides the fullest display of his genius. Philibert Delorme was also the author of several theoretical works, including « The First Book of Architecture, » published in 1567. He died in Paris in 1570.

Se occorresse illustrare il fascino di Lione ai tempi del Rinascimento riferendosi a un architetto, senza dubbio potremmo citare Philibert Delorme (o de l'Orme). Nato intorno al 1510 in questa città, figlio di un capomastro, la sua formazione avvenne nei cantieri di suo padre. Consapevole (anche troppo, come diranno i suoi rivali) delle sue grandi capacità, dal 1533 al 1536 è in Italia, dove sviluppa la sua cultura artistica studiando i modelli dell'Antichità e le novità italiane. Ritornato nella sua città, esegue lavori per il Conte d'Antoine Bullioud, ispettore generale delle finanze della Bretagna – ma proveniente da una grande famiglia lionese – e dota il suo palazzo al numero 8 di Rue Juiverie – nella Vecchia Lione – di una notevole galleria, a ordini dorico e ionico sovrapposti. Il suo talento gli assicura il favore reale sotto Francesco I, prima di diventare sovrintendente alle costruzioni sotto Enrico II, carica che gli permette di controllare quasi tutti i cantieri reali e di fregiarsi sotto questo regno del titolo di primo architetto francese. Oltre ad avere eretto dal 1547 al 1552, con il castello D'Anet dedicato a Diane di Poitiers, l'opera che più liberamente esprime il suo genio, Philibert Delorme (morto a Parigi nel 1570) è anche autore di molte opere teoriche (compreso "Il Primo volume dell'Architettura" apparso nel 1567).

Les Pennons
The Pennons
I Pennoni

Leur histoire remonte au Moyen Âge. Il s'agissait alors de défendre la ville contre d'éventuels agresseurs extérieurs. Lyon, relève l'historien Sébastien Charléty, était « partagé vers le milieu du XVᵉ siècle, en trente-six quartiers ou pennonages. Chaque quartier avait sa compagnie, commandée par un capitaine-pennon. Chaque compagnie prenait à son tour la garde des murailles ». Le mot « pennon » vient de « penne », « la flamme que portait tout gentilhomme partant en guerre ». Ici, c'est chaque quartier qui arborait un drapeau, une « bannière ». En fonction des fluctuations démographiques, sous chaque bannière évoluait un nombre variable de « pennons ». L'organisation de cette milice lyonnaise dépendait du Consulat – la municipalité de l'époque – mais celle de la défense proprement dite incombait théoriquement au sénéchal, le lieutenant du roi en la ville. Avec la Révolution de 1789, cette institution fut abolie sur ordre du pouvoir central parisien. Elle ressuscite de nos jours, sous un angle festif évidemment mais aussi avec le souci de la reconstitution historique. Ne souligne-t-elle pas également un esprit de solidarité et de dévouement que développaient ces « pennons » qui pendant cinq siècles de l'histoire de la ville assurèrent sa sécurité ?

The Pennons date from the Middle Ages and were part of the city's defences. As historian Sébastien Charléty points out, Lyon was « divided into 36 districts or « pennonages » around the mid-15ᵗʰ century. Each district had its "company," led by a "pennon-captain." The companies took turns guarding the city walls. The word « pennon » comes from « penne, » signifying the flame carried by a nobleman setting off for war. Here, each district flew its own flag or banner. Each banner in turn had its own pennons, whose number varied according to demographic fluctuations. The Consulate (town council) was responsible for the organization of this Lyon militia, but the city's defences were theoretically the responsibility of the seneschal, the king's lieutenant in the city. This institution was finally abolished by Paris following the French Revolution. However, the Pennons have recently been brought back, though for more festive reasons and as part of the city's historic heritage. They can also be seen as symbols of solidarity and devotion, qualities that the Pennons developed during five centuries of ensuring the city's defences.

La loro storia risale al Medio Evo. Si trattava allora di difendere la città contro eventuali aggressori esterni. Lione, riporta lo storico Sebastiano Charléty, era "suddivisa, verso la metà del XV secolo, in trentasei quartieri o "pennonages". Ogni quartiere aveva la sua compagnia, comandata da un capitano di pennone. Ogni compagnia montava, a sua volta, di guardia alle mura". La parola "pennone" deriva da "penna", "la fiamma che ogni gentiluomo portava partendo per la guerra". Qui, ogni quartiere inalbera un drappo, uno "stendardo". Secondo le fluttuazioni demografiche, sotto ogni stendardo si sviluppava un numero variabile di "pennoni". L'organizzazione di questa milizia lionese dipendeva dal Consolato – la municipalità dell'epoca – ma quella della difesa propriamente detta era teoricamente di pertinenza del siniscalco, il luogotenente del re nella città. Con la Rivoluzione del 1789, questa istituzione fu abolita su ordine del potere centrale parigino. Riappare ai giorni nostri con un'evidente prospettiva festosa, ma anche con l'intento della ricostituzione storica. Non sottolinea forse anche uno spirito di solidarietà e di dedizione sviluppato da questi "pennoni" che, per cinque secoli di storia della città, ne assicurarono la sicurezza ?

Les enseignes
Shop signs
Le insegne

À travers elles, ne discerne-t-on pas un aspect identitaire de la ville ? Lyon, centre d'activités marchandes multiples, carrefour de croyances propres à susciter les symboles, attaché à ses traditions, cela a dû inspirer les créateurs de ces enseignes dont quelques-unes seulement, au coin d'une rue ou sur une façade, ont survécu. Naguère, elles signifiaient l'offre du gîte ou du couvert : « La Bombarde », dans la rue du même nom, enseigne d'hôtellerie, « Au Grand Tambour », rue de la Bourse, avec une maison qui aurait abrité un café… à l'usage des petites bourses ou encore, dans le Vieux-Lyon, rue St-Georges, « Le Cerf Couronné », souvenir d'un cabaret. Négociants, commerçants ont laissé des traces de ce genre aussi : « Aux trois carreaux », rue de Brest (autrefois rue Centrale) était une enseigne de drapier (XVIIᵉ siècle). La librairie était représentée autrefois « Au Maillet d'Argent », rue Mercière. Les animaux, réels ou légendaires et servant des causes diverses, sont assez bien représentés : « Le Cheval d'argent », rue Puits-Gaillot, « Au Phénix », rue St-Georges, « L'Outarde d'Or », gibier qui se chassait autrefois à Lyon (rue du Bœuf). Dans cette dernière rue, et pour cause puisqu'il lui a donné son nom, « Le Bœuf » sculpté (un taureau ?) attribué à Jean de Bologne ou à Martin Hendricy (maison d'angle). Quant au « Chat de Montcricy » (angle route de Genas et rue Sainte-Marie), s'il n'a qu'un rapport phonétique avec l'étymologie se rapportant au nom de ce quartier de la rive gauche lyonnaise (en fait le « Mont Chal »), il est contemporain, dû au sculpteur Paul Penin. Comment ne pas évoquer parmi les représentations plus pieuses qui ornent la ville, « Les Trois Maries », rue du même nom (la Vierge, Marie-Madeleine et Marie-Jacobé)…

Shop signs can symbolise a town's particular identity. Lyon, long an important centre of trade, a crossroads of beliefs conducive to the creation of symbols, a city attached to its traditions… all of this must have served as inspiration for the creators of these signs, only a few of which have survived, on street corners and facades. Once, they signified offers of bed and board: «The Bombard,» on Rue La Bombarde, was a hotel, « The Big Drum » on Rue de la Bourse was most likely a café and «The Crowned Stag,» on Rue Saint-Georges in Old Lyon, was a cabaret. Merchants and shopkeepers left similar marks: «The Three Checks,» on Rue de Brest (formerly Rue Centrale), was a draper (17th century). Books could be bought at "The Silver Mallet," on Rue Mercière. Animals, both real and imagined and serving various causes, are rather well represented: «The Silver Horse» (Rue Puits-Gaillot), « The Phoenix » (Rue Saint-Georges) and « The Golden Bustard » (Rue du Bœuf), once a local game bird. Also in Rue du Boeuf (and for good reason), « The Ox » (or « Boeuf, » in French) was sculpted by either Jean de Bologne or Martin Hendricy (the house on the corner). The « Chat de Montchat » (on the corner of Route de Genas and Rue Sainte-Marie) is a play on the name of this district (« Mont Chal ») on Lyon's left bank – although this sign is modern, sculpted by Paul Penin. Finally, more pious signs can also be found decorating the city, such as « The Three Maries » on Rue des Trois Maries (the Virgin Mary, Mary Magdalene and Mary of Clopas).

Attraverso di loro, non si scopre forse un aspetto identitario della città? Lione, centro di molteplici attività commerciali, crocevia di credenze in grado di suscitare i simboli, attaccata alle sue tradizioni: tutto questo ha dovuto ispirare i creatori di queste insegne che solo in alcuni casi, all'angolo di una via o su una facciata, sono sopravvissute. Un tempo, esse significavano l'offerta di vitto e alloggio: "La Bombarde" (La Bombarda), nella via dallo stesso nome, insegna di una locanda, "Au Grand Tambour" (Al grande Tamburo), rue de la Bourse, con una casa che avrebbe accolto un caffè… ad uso dei meno abbienti o, ancora, nella Vecchia Lione, in rue St. Georges, "Le Cerf Couronne'" (Il Cervo Incoronato), ricordo di un cabaret. I negozianti e i commercianti hanno lasciato tracce anche di questo genere: "Aux Trois carreaux" (Ai tre Quadri), in rue de Brest (già Rue Centrale) era un'insegna di negozianti di tessuti (XVII secolo). La libreria era rappresentata una volta da "Au Maillet d'Argent" (Al Mazzuolo d'Argento), in rue Mercière. Gli animali, reali o leggendari che servivano cause diverse, sono molto rappresentati: "Le Cheval d'argent" (Il cavallo d'argento), in rue Puits-Gaillot, "Au Phénix" (Alla fenice), in rue St-Georges, "L'Outarde d'Or" (L'Otarda d'Oro), selvaggina che si cacciava una volta a Lione (rue du Bœuf). In quest'ultima via, e con buone ragioni, dato che le ha attribuito il nome, "Le Bœuf" scolpito (un toro?) attribuito a Jean de Bologne (il Giambologna) o a Martin Hendricy (casa d'angolo). Per quanto riguarda il "Chat de Montchat" (Gatto di Montchat) (angolo tra la strada di Genas e rue Sainte-Marie), pur avendo una relazione fonetica con l'etimologia riferita al nome di questo quartiere della riva sinistra lionese (in effetti il "Mont Chal"), esso è contemporaneo, dovuto allo scultore Paul Penin. E come non ricordare, tra le rappresentazioni più pie che ornano la città, "Les Trois Maries" (Le tre Marie), nella via dallo stesso nome (La Vergine, Maria Maddalena e Maria-Iacobea)…

A LOUTARDE DOR
IE VAUX MIEUX
QUE TOUS LES
GIBIERS

AUCHEVAL DARGENT
1743

AU GRAND TAMBOUR

W MAILLET DARGENT

Le jardin archéologique
The archaeological garden
Il parco archeologico

Durant le haut Moyen Âge, il n'était pas rare de voir les grandes villes disposer d'un groupe cathédrale constitué de trois églises. Lyon, au cœur des premières communautés chrétiennes, se dota d'un tel ensemble, malheureusement disparu mais dont la découverte a été rendue possible lors de fouilles archéologiques effectuées entre 1971 et 1980. Ces trois églises, juxtaposées et destinées à glorifier le Dieu trois fois saint, remontent, au moins en partie, au IVᵉ siècle et se présentaient ainsi : du sud au nord, la cathédrale Saint-Jean primitive, située en lieu et place de la cathédrale actuelle, avec une emprise toutefois moins importante. Son existence – ou du moins celle d'un édifice peut-être déjà reconstruit –, est attestée sous l'évêque Patiens dans une des lettres de Sidoine Apollinaire, né à Lyon et évêque de Clermont, datée de 469 ; un baptistère dédié à Saint-Étienne et qui figure parmi les plus anciens de la Gaule. Il sera réaménagé et développé au cours des siècles suivants, et finalement réservé aux chanoines-comtes de Saint-Jean. Enfin, l'église Sainte-Croix dont l'origine de construction demeure difficile à situer. Cet espace, dégagé et aménagé, a été transformé en 1981 en jardin archéologique à proximité de la cathédrale Saint-Jean.

During the High Middle Ages, it was not rare for cities to provide themselves with three churches. Lyon, an early centre of Christianity, was no exception. Although this architectural grouping remained long buried, it was finally uncovered during excavations carried out between 1971 and 1980. These three churches, located side by side and meant to glorify the Holy Trinity, date back, at least partially, to the 4ᵗʰ century. Stretching from north to south, the primitive Saint Jean Cathedral occupied the same site as today's cathedral, though it didn't enjoy quite the same influence. Its existence – or at least the existence of an edifice that might already have been rebuilt – is attested to under Bishop Patiens in a letter dated 469 by Sidoine Apollinaire, Lyon native and bishop of Clermont. The second church is one of Gaul's oldest baptistries, dedicated to Saint Etienne. Over the centuries, the baptistry was refurbished and expanded, before finally being reserved for the canon-counts of Saint Jean. The third and final church, Sainte Croix, remains difficult to date. In 1981, this open area was transformed into an archaeological garden near Saint Jean Cathedral.

Durante l'alto Medio Evo non era raro vedere nelle grandi città un gruppo-cattedrale composto da tre chiese. Lione, nel cuore delle prime comunità cristiane, si dotò di un tale insieme (sfortunatamente sparito), la cui scoperta è stata però resa possibile in occasione degli scavi archeologici effettuati tra il 1971 e il 1980. Queste tre chiese, giustapposte e destinate a glorificare il Dio tre volte santo, risalgono, almeno in parte, al IV secolo e si presentano in questo modo: dal sud al nord, la cattedrale di Saint-Jean primitiva, situata sulla sede della cattedrale attuale, con un'influenza tuttavia meno importante. La sua esistenza – o almeno quella di un edificio che forse era già stato costruito – è attestata sotto il vescovo Patiens in una delle lettere di Sidone Apollinare, nato a Lione e vescovo di Clermont, datata 469; un battistero dedicato a Santo Stefano, tra i più antichi della Gallia. Sarà risistemato e ampliato nel corso dei secoli seguenti e finalmente riservato ai canonici-conti di Saint-Jean. Infine, la chiesa di Sainte-Croix (Santa Croce) le cui origini sono alquanto oscure. Questo spazio, aperto e attrezzato, è stato trasformato nel 1981 in parco archeologico in prossimità della cattedrale di Saint-Jean.

L'Île Barbe
Ile Barbe
L'Isola Barbe

Nous la découvrons « au milieu de la plus douce rivière du monde », c'est-à-dire la Saône, entre les quais Raoul Carrié et Clemenceau : l'Île Barbe. Il nous est difficile de l'imaginer sans sa part de mystère et de légende. Il flotte sur « l'Insula barbara », ou « île Barbare », transformée finalement en « Île Barbe », ce parfum étrange provenant de la nuit des temps qui nous communique ce plaisir secret : faire s'animer dans notre esprit les silhouettes de ces druides qui venaient en cet endroit exercer leur ministère. Plus que la légende, l'histoire en revanche a fixé l'attraction exercée par ce lieu, à Pâques, à l'Ascension et à Pentecôte. On accourait de vingt lieues à la ronde en pèlerinage jusqu'à l'abbaye bénédictine réputée dans toute la chrétienté. Mais là encore la légende tissa sa toile autour de l'existence d'un trésor qui ne comportait rien moins que le vase d'émeraude du Saint-Graal, les manuscrits de la vallée du Nil et même un fort bel olifant, un cor dont on prétendait qu'il était celui dont le preux chevalier Roland fit usage, en vain, à Roncevaux… Au moins pouvons-nous tenter de retrouver en parcourant l'île ce qui contribua à lui conférer tout son charme, décrit par Jean Forey il y a quelques années : « L'Île Barbe au mois de mai, avec ses guinguettes aux couleurs vives, ses arbres de Judée et ses glycines en fleurs, c'est la porte qui s'ouvre toute grande sur la campagne et le printemps » (« L'Île Barbe, histoire brève et légendes »).

Ile Barbe lies « in the middle of the gentlest river in the world » – in other words, the Saône – between Raoul Carrié and Clemenceau quays. The island is shrouded in mystery and steeped in legend. Originally « Insula Barbara » then « Ile Barbare » (or « Barbarian Island » in English), in ancient times Ile Barbe was an important site for pagan rituals frequented by druids. Later, the island's Benedictine abbey, famous throughout Christendom, attracted pilgrims for miles around at Easter, Ascension and Pentecost. A legend eventually sprang up around a supposed treasure that included no less than the emerald cup known as the Holy Grail, the Nile Valley manuscripts and even a beautiful ivory horn that was said to have been blown (in vain) by the valiant knight Roland at Roncevaux. However, visitors to the island can easily discover what has really made Ile Barbe such a charming place for so many centuries, as recently described by Jean Forey : «Ile Barbe in the month of May, with its brightly-coloured « guinguette » open-air cafés, its Judas trees and flowering wisteria, is the gate that opens wide on the countryside and Spring. »

La scopriamo "al centro del fiume più dolce del mondo", cioè la Saône, tra i lungofiume Raoul Carrié e Clemenceau: l'Isola Barbe. È difficile immaginarla senza la sua parte di mistero e di leggenda. Sull'"Insula barbara", o "Isola barbara", trasformata finalmente in "Isola Barbe", aleggia uno strano profumo che proviene dalla notte dei tempi e ci trasmette questo piacere segreto: dare vita nel nostro spirito alle figure di quei druidi che venivano in questo posto a celebrare i loro riti. Più che la leggenda, la storia ha stabilito invece l'attrazione esercitata da questo luogo, a Pasqua, all'Ascensione e alla Pentecoste. Si accorreva da ogni dove in lungo pellegrinaggio fino all'abbazia benedettina famosa in tutta la cristianità. Ma di nuovo la leggenda ha tessuto la sua tela intorno all'esistenza di un tesoro contenente nientemeno che il vaso di smeraldo del Santo Graal, il manoscritto della valle del Nilo e anche un bellissimo olifante, un corno che si supponeva fosse quello usato invano dal prode cavaliere Orlando a Roncisvalle… Percorrendo l'isola, possiamo almeno tentare di ritrovare quello che contribuì a conferirle tutto il suo fascino, descritto da Jean Forey qualche anno fa: "L'Isola Barbe nel mese di maggio, con le balere dai colori vivaci, gli alberi di Giuda e i glicini in fiore, è la grande porta che si apre sulla campagna e sulla primavera" ("L'Isola Barbe, breve storia e leggenda").

« Ce n'est pas un faubourg, me répondit-il avec une bienveillance attristée, c'est le quartier d'Ainay dont j'ai tenu à vous donner un rapide aperçu. La meilleure société l'habite, et j'y vis moi-même depuis trente-huit ans. On ne le quitte guère quand on y est né. » Ainsi, dans un roman lyonnais célèbre (« Calixte où l'introduction à la vie lyonnaise ») présente-t-on ce quartier de la presqu'île à un Parisien s'installant à Lyon. Depuis, de la gare de Perrache à la rue Sainte-Hélène, entre la rue Vaubecour et la rue de la Charité, la caricature du XIXᵉ et du début du XXᵉ siècle est moins affirmée. Mais le quartier abrite toujours un remarquable bâtiment témoin de l'époque romane. L'abbaye bénédictine, dont l'existence est attestée au IXᵉ siècle, a précédé l'église qui reçut la consécration en janvier 1107 du pape Pascal II. Celui-ci venait de célébrer Noël à Cluny et il fut reçu à Lyon par l'abbé Gaucerand, bientôt nommé archevêque. Saint-Martin d'Ainay s'inscrit dans la première période de l'art roman. Un premier regard se fixe sur l'entrée principale et le clocher-porche surmonté d'une pyramide quadrangulaire avec, en angle, quatre pyramidions. Sur la façade, on remarque des incrustations de briques rouges et de marbre blanc. Un bestiaire sculpté permet de distinguer un paysan aux labours, griffons, cerfs et un aigle tuant un serpent, symbole du mal. En pénétrant à l'intérieur de l'église Saint-Martin, on découvre un vaisseau réparti en trois allées délimitées par deux alignements parallèles de six colonnes. La nef est, quant à elle, couverte d'un berceau plein cintre du XIXᵉ siècle qui a remplacé la charpente d'origine. Le chœur et l'abside constituent d'autres parties remarquables.

In a famous Lyon novel, this district is presented to a Parisian moving to Lyon: "It isn't a suburb, he answered me with sad benevolence, it's the district of Ainay, which I wanted to give you a glimpse of. The best society lives there, and I myself have lived there for 38 years. When one is born in Ainay, one hardly ever leaves." From Perrache railway station to Rue Sainte-Hélène, between Rue Vaubecour and Rue de la Charité, this caricature from the 19th and early 20th centuries rings less true today. But the district is still home to a remarkable Romanesque-period building. The Benedictine abbey, first mentioned in the 9th century, preceded the church used for the consecration of Pope Pascal II in January 1107. He had just come from Cluny where he had celebrated Christmas and was welcomed to Lyon by Abbot Gaucerand, who was soon be named archbishop. Saint Martin d'Ainay is an example of early Romanesque art. One's eyes are first drawn to the main entrance, with its bell tower surmounted by a four-sided pyramid with four pyramidia on the corners. The façade is adorned with inlays of red brick and white marble. A sculpted bestiary shows a peasant at the plough, as well as griffons, stags and an eagle killing a serpent (a symbol of evil). Stepping inside the church, one discovers a nave divided into three aisles by two parallel lines of six columns. The nave is topped by a semicircular barrel vault dating from the 19th century that replaced the original ceiling structure. The church's chancel and apse are also remarkable.

"Non è un sobborgo", mi rispose con una mesta benevolenza, "è il quartiere d'Ainay che ho voluto farle vedere rapidamente. È abitato dalla migliore società e ci vivo io stesso da trentotto anni. Non lo si lascia facilmente quando vi si è nati"". Così, in un celebre romanzo lionese ("Callisto o l'introduzione alla vita lionese") viene presentato questo quartiere della penisola a un parigino venuto a vivere a Lione. Poi, dalla stazione Perrache alla via Sainte-Hélène, tra la via Vaubecour e la via della Charité, la caricatura del XIX e dell'inizio del XX secolo è meno presente. Il quartiere, però, ospita sempre un notevole edificio testimone dell'epoca romanica. L'abbazia benedettina, risalente al IX secolo, ha preceduto la chiesa consacrata nel gennaio del 1107 dal papa Pasquale II. Egli aveva appena celebrato il Natale a Cluny e fu ricevuto a Lione dall'Abate Gaucerand, ben presto nominato arcivescovo. Saint-Martin d'Ainay risale al primo periodo dell'arte romanica. Un primo sguardo cade sull'entrata principale e sul campanile sovrastante il portale e sormontato da una piramide quadrangolare con quattro punte piramidali agli angoli. Sulla facciata si notano incrostazioni di mattoni rossi e di marmo bianco. Un bestiario scolpito permette di distinguere un contadino all'aratro, grifoni, cervi e un'aquila che uccide un serpente, simbolo del male. Entrando all'interno della chiesa di Saint-Martin, si scopre una navata suddivisa in tre corridoi delimitati da due file parallele di sei colonne. La navata è coperta da una volta a tutto sesto del XIX secolo che ha sostituito la struttura originale. Anche il coro e l'abside sono altre degni di nota.

La cathédrale Saint-Jean
Saint Jean Cathedral
La cattedrale di Saint-Jean

Construite sur un site primitif – celui mis en valeur par le jardin archéologique –, la cathédrale Saint-Jean Baptiste – appelée plus simplement Saint-Jean par les Lyonnais – doit son nom à la conservation d'une relique, un os de mâchoire de Saint-Jean-Baptiste. Elle a été élevée au rang de Primatiale par le pape Grégoire VII en 1079, car l'archevêque lyonnais est désigné depuis cette date comme « Primat des Gaules », ce qui signifie qu'il bénéficie d'une prééminence historique sur les autres sièges épiscopaux de France. L'église primitive, Saint-Étienne, avait été restaurée au IXᵉ siècle par l'archevêque Leidrade. Il n'en subsiste que la partie occidentale, dénommée la Manécanterie. Cette dernière, purement romane, abrite aujourd'hui le « trésor de la cathédrale », constitué de nombreux objets liturgiques. Mais la nouvelle église conçue sous les archevêques Hugues (1081-1106) et Jocerand (1106-1118) s'avérant trop exiguë et saccagée par le Comte de Forez en 1162, l'archevêque Guichard (1165-1180) entreprit une nouvelle construction vers 1175-1180. Ainsi s'élevèrent les murs de l'abside et du chœur, ceux des deux chapelles latérales et du transept jusqu'en 1193, pour la partie romane. La fin du XIIᵉ siècle et le début du XIIIᵉ virent la conception, dans un style gothique, du reste de l'édifice. La cathédrale témoigne de toutes les étapes de l'architecture médiévale, du roman au gothique flamboyant. Son histoire reste liée à de grands événements, comme les deux conciles tenus à Lyon en 1245 et 1274, le mariage d'Henri IV et de Marie de Médicis en 1600, et en octobre 1986 la rencontre du pape Jean-Paul II avec les malades du diocèse.

Built on the same primitive site now enhanced by the archaeological garden, Saint Jean Baptiste Cathedral (called simply Saint Jean by Lyon's residents) owes its name to the preservation of a relic: a jaw bone of Saint John the Baptist. Pope Gregory VII raised the cathedral to the rank of « primatial » in 1079, and the archbishop of Lyon has since been designated « Primate of the Gauls, » meaning he enjoys historical pre-eminence over France's other Episcopal seats. The primitive church of Saint Etienne was restored in the 9ᵗʰ century by Archbishop Leidrade. Today, all that remains of the original edifice is the western wing, known as the Manécanterie (choir school). Entirely Romanesque, this section now houses the cathedral treasure, made up of numerous liturgical objects. But the new church designed under Archbishops Hugues (1081-1106) and Jocerand (1106-1118) proved too cramped and was finally wrecked by the Count of Forez in 1162. Archbishop Guichard (1165-1180) began work on a new edifice between 1175 and 1180. By 1193, the Romanesque section of the cathedral had been built, comprising the apse and chancel, as well as the two side chapels and the transept. The rest of the cathedral was completed in a Gothic style between the late 12ᵗʰ and the early 13ᵗʰ centuries. Saint Jean illustrates the entire evolution of medieval architecture, from the Romanesque to the Flamboyant Gothic styles. Its history remains linked to such important events as the two Lyon councils of 1245 and 1274, the marriage between Henry IV and Marie de Medici in 1600, and Pope John Paul II's meeting with the diocese's sick in October 1986.

Costruita su un sito originario – quello valorizzato dal parco archeologico – la cattedrale di San Giovanni Battista – chiamata più semplicemente Saint-Jean dai Lionesi – deve il suo nome alla conservazione di una reliquia, un osso della mascella di San Giovanni Battista. Essa è stata elevata al rango di Primaziale dal papa Gregorio VII nel 1079, poiché l'arcivescovo lionese è designato dopo questa data come "Primate dei Galli", vale a dire che egli beneficia di una preminenza storica sulle altri sedi episcopali francesi. La chiesa originaria, Santo Stefano, era stata restaurata nel IX secolo dall'arcivescovo Leidrade. Ne rimane solo la parte occidentale, denominata "Manécanterie" (Scuola di Canto Liturgico Corale). Quest'ultima, in puro stile romanico, ospita oggi il "tesoro della cattedrale", costituito da numerosi oggetti liturgici. Poiché la nuova chiesa, progettata sotto gli arcivescovi Hugues (1081-1106) e Jocerand (1106-1118), si era rivelata troppo angusta ed era stata saccheggiata dal Conte di Forez nel 1162, l'arcivescovo Guichard (1165-1180) intraprese una nuova costruzione intorno al 1175-1180. Furono così innalzati i muri dell'abside e del coro, quelli delle due cappelle laterali e del transetto fino al 1193, per la parte romanica. La fine del XII secolo e l'inizio del XIII videro l'ultimazione del resto dell'edificio in stile gotico. La cattedrale testimonia tutte le tappe dell'architettura medioevale, dal romanico al gotico fiammeggiante. La sua storia resta legata a grandi avvenimenti, come i due concili tenuti a Lione nel 1245 e 1274, il matrimonio di Enrico IV e di Maria dei Medici nel 1600 e, nell'ottobre 1986, l'incontro del papa Giovanni Paolo II con i malati della diocesi.

Sur la colline de la Croix-Rousse se situe l'église Saint-Bruno, la seule église baroque de Lyon. La première pierre de l'église a été posée en 1590, alors que quelques années plus tôt l'ordre des Chartreux (fondé par un groupe de moines conduits par Bruno qui, en 1084, s'étaient retrouvés dans le massif de la Chartreuse (Isère) pour y vivre dans la solitude et la prière), avait décidé de s'installer à Lyon. Mais c'est de 1735 à 1750 que, grâce à l'architecte Ferdinand Delamonce, mais aussi de Germain Soufflot, cette église est agrandie et se développe de manière splendide. « Cet édifice, écrit Dominique Bertin, au transept peu débordant, se singularise dans le paysage lyonnais par sa coupole de plan octogonal (Delamonce, 1736), d'une légèreté remarquable, qui présente au-dehors huit fenêtres ovales et, à l'intérieur, par un exceptionnel baldaquin réalisé par l'architecte italien J.-M. Servandoni (1738) ». Au siècle suivant se situe la transformation des chapelles latérales, du mobilier d'église (chaire, orgues, chemin de croix) et la réalisation de la façade néo-baroque sous la direction de Tony Desjardins et de Louis-Jean Sainte-Marie-Perrin. Classée monument historique au début du XXe siècle, l'église Saint-Bruno a été restaurée au début du XXIe siècle.

Saint Bruno, Lyon's only Baroque-style church, is located on Croix-Rousse hill. The first stones were laid in 1590, only a few years after the Carthusian Order decided to establish itself in Lyon (the Carthusian Order was founded by a group of monks led by Saint Bruno who, in 1084, settled down in the Chartreuse Massif to pursue a life of solitude and prayer). But it was between 1735 and 1750 that the church was splendidly expanded, thanks to the architects Ferdinand Delamonce and Germain Soufflot. Dominique Bertin writes, « This edifice, with its rather sober transept, stands out in the Lyon landscape thanks to its remarkably light, octagonal dome (Delamonce, 1736) with eight oval windows and its exceptional canopy designed by the Italian architect J. M. Servandoni (1738). » The side chapels were transformed during the following century. The church's pulpit, organ and Stations of the Cross also date from the 19th century, as does the Neo-Baroque facade designed by Tony Desjardins and Louis-Jean Sainte-Marie-Perrin. Listed as a historic monument at the beginning of the 20th century, Saint Bruno Church was restored at the beginning of the 21st century.

Sulla collina della Croix-Rousse si erge la chiesa San Bruno, la sola chiesa barocca di Lione. La prima pietra della chiesa è stata posta nel 1590, mentre alcuni anni prima l'ordine dei Certosini (fondati da un gruppo di monaci guidati da Bruno che, nel 1084, si erano riuniti sul massiccio della Certosa, nell'Isère, per vivere nella solitudine e nella preghiera) aveva deciso di installarsi a Lione. La chiesa è stata però ingrandita e sviluppata in modo splendido dal 1735 al 1750, grazie all'architetto Ferdinand Delamonce e a Germain Soufflot. "Questo edificio, scrive Dominique Bertin, dal transetto poco sporgente, si riconosce nel paesaggio lionese per la sua cupola a pianta ottagonale (Delamonce, 1736), di notevole leggerezza, che presenta all'esterno otto finestre ovali e, all'interno, un eccezionale baldacchino realizzato dall'architetto italiano G.M. Servandoni (1738)". Nel secolo seguente avviene la trasformazione delle cappelle laterali, degli arredi della chiesa (pulpito, organo, via crucis) e la realizzazione della facciata neo-barocca sotto la direzione di Tony Desjardins e di Louis-Jean Sainte-Marie-Perrin.
Classificata monumento storico all'inizio del XX secolo, la chiesa di San Bruno è stata restaurata all'inizio del XXI secolo.

Fourvière
Fourvière
Fourvière

Sur cette colline, en l'an 43 avant Jésus-Christ, à l'initiative d'un certain Munatius Plancus, a été fondée une colonie romaine appelée à un riche avenir, de chef-lieu de province et de capitale de la Gaule, sous le nom de Lugdunum. Lors des fêtes du bi-millénaire de la ville, en octobre 1958, a été posée, à l'angle de la rue Cléberg et de la montée cardinal Decourtray, une plaque à l'endroit supposé où furent tracés le « decumanus » et le « cardo » romains, symboles du rite fondateur. Mais si Fourvière est toujours appelé par les Lyonnais « la colline qui prie », elle doit cette pieuse appellation à la manifestation quasiment constante, sur ses pentes et son sommet, d'une foi ardente. Depuis la fondation d'un premier sanctuaire en 1168 par Olivier de Chavannes, l'archevêque Jean de Bellesme, en 1192, complète l'édifice, avec une chapelle dédiée à la Vierge et à Saint-Thomas Becket, archevêque martyr de Canterbury qui a séjourné peut-être à Lyon durant son exil. Après bien des vicissitudes, et en particulier des destructions, un événement décisif se produisit en 1870 lorsque des catholiques lyonnais firent le vœu d'édifier une grande église à la Vierge de Fourvière si Lyon échappait à l'invasion prussienne. C'est finalement l'architecte Pierre Bossan qui fut chargé de l'entreprise mais il faudra attendre des années avant de voir consacrer le sanctuaire, en juin 1896, qui est érigé en basilique mineure en mars 1897. Avec la Vierge dorée, protectrice de la ville, qui surmonte le clocher de l'ancienne chapelle voisine, la basilique se voit de loin. Mais ce monument éclectique, romano-byzantin, dont l'écrivain Huysmans disait qu'il était comme « un éléphant renversé », offre aussi intérieurement mille et une curiosités…

It was on this hill that in the year 43 B.C., on the initiative of a certain Munatius Plancus, a Roman colony was founded that would later become the provincial capital and finally capital of Gaul under the name of Lugdunum. During the city's 2000 year anniversary, in October 1958, a commemorative plaque was placed on the corner of Rue Cléberg and Montée Cardinal Decourtray, where the Roman "decumanus" and "cardo" were supposedly laid at the time of the city's founding. But while Lyon's residents still refer to Fourvière as « the praying hill, » it owes this pious appellation to the almost constant manifestation, on its slopes and summit, of an ardent faith. In 1168, Olivier de Chavannes founded the first sanctuary there, which was completed in 1192 by Archbishop Jean de Bellesme with a chapel dedicated to the Virgin Mary and Saint Thomas Becket, the martyred Archbishop of Canterbury who is thought to have stayed in Lyon during his exile. After centuries of vicissitudes – in particular, of destructions – a decisive event occurred in 1870: Lyon's Catholics vowed to build a great church to the Virgin of Fourvière if the city was spared from the Prussian invasion. Pierre Bossan was put in charge of construction, but it wasn't until years later, in June 1896, that the sanctuary was finally consecrated; the following year, in March 1897, the church was designated a minor basilica. With its gilded Virgin, the city's patron, which surmounts the bell tower of the older neighbouring chapel, the basilica can be seen from very far away. But this eclectic, Romanesque-Byzantine monument, which the writer Huysmans likened to « an upside down elephant, » also houses a thousand and one curiosities.

Su questa collina, nel 43 avanti Cristo, per iniziativa di un certo Munatius Plancus, fu fondata una colonia romana destinata a un prospero avvenire come capoluogo di provincia e capitale della Gallia, con il nome di Lugdunum. In occasione delle celebrazioni del bi-millenario della città, nell'ottobre 1958, all'angolo della rue Cléberg e della scalinata Cardinale Decourtray, è stata posata una targa nel luogo dove si supponeva fossero tracciati il "decumanus" e il "cardo" romani, simboli del rito fondatore. Se però Fourvière è sempre detta dai Lionesi "la collina che prega", deve questa devota denominazione alla manifestazione quasi costante, sui suoi pendii e sulla sommità, di una fede ardente. Dopo la fondazione di un primo santuario nel 1168 da parte di Oliver de Chavannes, nel 1192 l'arcivescovo Jean de Bellesme completa l'edificio, con una cappella dedicata alla Vergine e a San Tommaso Becket, l'arcivescovo martire di Canterbury che, durante l'esilio, aveva forse soggiornato a Lione. Dopo molte vicissitudini, in particolare distruzioni, nel 1870 accadde un fatto decisivo: alcuni cattolici lionesi fecero il voto di erigere una grande chiesa alla Vergine di Fourvière se Lione fosse scampata all'invasione prussiana. Alla fine fu incaricato dell'opera l'architetto Pierre Bossan, ma occorsero lunghi anni prima della consacrazione, nel giugno 1896, del santuario eretto a basilica minore nel marzo 1897. Con la Vergine dorata, protettrice della città, sovrastante il campanile dell'antica cappella vicina, la basilica è visibile da lontano. Ma questo monumento eclettico, romano-bizantino, che lo scrittore Huysmans definiva come "un elefante capovolto", offre anche all'interno mille curiosità…

Saint-Paul
Saint Paul
Saint-Paul

L'un des trois quartiers du Vieux-Lyon, qui fut jadis le centre d'une intense activité portuaire. Mais ses rues et ses places s'animèrent encore à la Renaissance grâce au commerce et à la banque, à l'image de la rue Juiverie où habitèrent des hommes de la finance venus d'Italie. Plus tard, devenu moins résidentiel, il vécut les transformations inhérentes au XIXᵉ siècle, avec le percement en 1861 de la rue Octavio Mey et la construction, en 1873, de la gare du chemin de fer. Mais le saint patronyme était probablement honoré dès le VIᵉ siècle par la présence d'une première église. Celle d'aujourd'hui fut construite à partir du XIIᵉ siècle, dans un style roman-byzantin, avec la voûte de la nef, le transept, ses deux absidioles dans chaque croisillon, et la tour octogonale avec coupole sur trompes qui surmonte la croisée du transept. C'est au XVᵉ siècle que la façade fut refaite dans un style gothique avec un clocher-porche. Objet d'aménagements à plusieurs reprises au long du XIXᵉ siècle, des restaurations, au début de ce XXIᵉ siècle, ont permis de mettre en relief cette église Saint-Paul qui possède une grande valeur patrimoniale trop longtemps négligée.

This is one of Old Lyon's three districts and long ago a centre of intense port activity. Its streets and squares continued to be very lively during the Renaissance, thanks to commerce and banking, as illustrated by the Rue Juiverie, home to the city's Italian financiers. Saint Paul later became less residential and was subjected to the transformations inherent to the 19th century, with the building of Rue Octavio Mey in 1861 and the railway station in 1873. But the patron saint was probably honoured as early as the 6th century, with the construction of the first church. Work on the existing church began in the 12th century, in a Romanesque-Byzantine style, with the nave vault, the transept with its two apsidioles in each wing, and the octagonal tower with its squinch-topped dome above the transept crossing. In the 15th century, the façade was redone in a Gothic style with a bell-tower entrance. Renovated several times during the 19th century, the latest works carried out at the beginning of the 21st century have enhanced the qualities of this church, whose great cultural heritage was neglected for far too long.

Uno dei tre quartieri della Vecchia Lione, già centro di un'intensa attività portuale.
Le sue strade e le sue piazze si animarono di nuovo durante il Rinascimento grazie al commercio e alla banca, come testimonia la rue Juiverie, dove abitarono gli uomini della finanza venuti dall'Italia. Più tardi, diventato meno residenziale, subì le trasformazioni del XIX secolo, con l'apertura nel 1861 della rue Octavio Mey e la costruzione, nel 1873, della stazione ferroviaria. Ma il Santo Patrono vi era probabilmente onorato fin dal VI secolo con la presenza di una prima chiesa. Quella odierna fu costruita a partire dal XII secolo in stile romanico-bizantino, con una navata a volta, il transetto, le due absidiole in ogni braccio del transetto e la torre ottagonale con cupola su pennacchi a tromba sovrastante la crociera del transetto. La facciata venne rifatta nel XV secolo in stile gotico con campanile sovrastante il portale. Soggetta a più riprese a sistemazioni nel corso del XIX secolo, grazie ad alcuni restauri all'inizio di questo XXI secolo la chiesa di Saint-Paul, patrimonio preziosissimo troppo a lungo trascurato, è stata posta nel dovuto risalto.

Saint-Nizier
Saint Nizier Church
Saint Nizier

Il a donné son nom à ce quartier de la presqu'île lyonnaise. Saint-Nizier, originaire de Bourgogne, où il est né en 513, succéda, en 552, comme évêque de la ville à son oncle Saint-Sacerdos. Si la mention de l'église qui porte son nom apparaît au VIᵉ siècle, une crypte, deux cents ans plus tôt, a été dédiée en ces lieux « aux saints Apôtres, à saint Pothin et aux quarante-sept martyrs, ses compagnons ». L'édifice que nous connaissons actuellement reste assez mal connu quant à son origine. Au début du XIVᵉ siècle, sous l'impulsion de l'archevêque Louis de Villars, commença une construction qui s'acheva vers 1417 dans un style gothique flamboyant. Son clocher nord – fait de briques roses –, ses chapelles latérales, datent en revanche du XVᵉ siècle. Le splendide « cul de four » du portail central est dû à un élève de Philibert de l'Orme (XVIᵉ siècle). Le XIXᵉ siècle a vu se transformer en style néo-gothique, avec l'architecte Claude-Anthelme Benoît, les parties centrale et méridionale de la façade commencées au XVIIᵉ siècle, alors que l'architecte Flacheron aménage vers 1821 le chevet avec l'installation de boutiques. Intérieurement, on observera la vierge de Coysevox, la statue de Joseph Chinard, les vitraux de Lucien Bégule dans la chapelle de la Trinité, et le cadran d'une horloge de 1684 sur la voûte de la grande nef. Ce quartier fut au centre de la lutte pour le pouvoir, au Moyen Âge, opposant les bourgeois aux archevêques et aux chanoines, et l'église Saint-Nizier a assisté plus récemment à un mouvement revendicatif des prostituées lyonnaises, en 1975, occupant pendant plusieurs jours l'église. Il est vrai que l'une des chapelles abrite la statue de Saint Expedit, soldat romain converti, qui est invoqué pour des causes réputées indéfendables…

The church gives its name to this quarter of Lyon's Presqu'île area, on the peninsula. Saint Nizier, born in the Burgundy region in 513, succeeded his uncle, Saint Sacerdos, as bishop in 552. The church is mentioned with this name in the 6ᵗʰ century, but two centuries earlier a crypt had already been dedicated on this site to the Apostles, Saint Pothin and the 47 martyrs who followed him. The origins of the current edifice are not well known. Construction began in the early 14ᵗʰ century, under the guidance of bishop Louis de Villars, and was completed around 1417, in flamboyant gothic style. The north bell tower, made of pink brick, and the side chapels date from the 15ᵗʰ century. The splendid "cul de four" (arched roof of the niche) of the central portal was designed by a student of Philibert de l'Orme (16ᵗʰ century). In the 19ᵗʰ century, the architect Claude-Anthelme Benoît transformed the 17ᵗʰ century central and southern sections of the façade into a neo-gothic style. Then, in 1821, the architect Flacheron redesigned the apse with the addition of small shops. As for the interior, visitors will note the Virgin sculpted by Coysevox, the statue by Joseph Chinard, the stained glass windows by Lucien Bégule in the Trinity chapel, and the clock face built in 1684 on the vault of the nave. This quarter of the city was at the centre of a struggle for power in the Middle Ages between the bourgeois, the bishops and the canons. More recently, in 1975, Saint Nizier church was the scene of a protest movement by the prostitutes of Lyon, who occupied the church for several days. Perhaps they took inspiration from the chapel dedicated to Saint Expedit, a converted Roman soldier, patron saint of lost causes!

Ha dato il nome a questo quartiere della penisola lionese. Saint-Nizier, originario della Borgogna dove nacque nel 513, successe nel 552, come vescovo della città, a suo zio San Sacerdos. La chiesa che porta il suo nome è citata nel VI secolo e, duecento anni più tardi, una cripta fu dedicata in questi luoghi "ai Santi Apostoli, a San Potino e ai quarantasette martiri suoi compagni". Si sa molto poco sulle origini dell'edificio che conosciamo attualmente. All'inizio del XIV secolo, per decisione dell'arcivescovo Louis de Villars, iniziò la costruzione che fu portata a termine intorno al 1417 in stile gotico fiammeggiante. Il campanile nord – in mattoni rosa – e le cappelle laterali sono databili invece nel XV secolo. Lo splendido catino del portale centrale è dovuto a un allievo di Philibert de l'Orme (XVI secolo). Nel XIX secolo l'architetto Claude-Anthelme Benoît trasformò le parti centrale e meridionale della facciata iniziata nel XVII secolo in stile neo-gotico, mentre intorno al 1821 l'architetto Flacheron sistemò l'abside con l'installazione di botteghe. All'interno si possono osservare la Vergine di Coysevox, la statua di Joseph Chinard, le vetrate di Lucien Bégule nella cappella della Trinità, e il quadrante di un orologio del 1684 sulla volta della grande navata. Questo quartiere fu al centro, nel Medio Evo, della lotta per il potere che vedeva i borghesi opposti agli arcivescovi e ai canonici, e la chiesa di Saint-Nizier ha assistito più recentemente, nel 1975, a un movimento rivendicativo delle prostitute lionesi che occuparono la chiesa per vari giorni. Vero è che una delle cappelle ospita la statua di San Espedito, soldato romano convertito, invocato per le cause ritenute indifendibili…

Le 8 décembre
8 December
L' 8 dicembre

L'histoire de cette fête locale est liée au culte marial entretenu par la ville, bien avant que le pape Pie IX proclame le dogme de l'Immaculée Conception. Au temps des premiers évêques lyonnais, Pothin, Irénée et Eucher, s'est répandu le culte de la Vierge. À Lyon commence, dès la fin du IIᵉ siècle, le recours à sa protection. Au XIIᵉ siècle, après le martyr de Thomas Becket, archevêque de Cantorbéry, assassiné sur ordre du roi d'Angleterre Henri II, la chapelle élevée à Fourvière sur instruction du doyen du chapitre de Lyon est dédiée d'une part au saint anglais – qui aurait séjourné à Lyon – et d'autre part à la « bienheureuse Vierge Marie ». Mais c'est en 1850 que s'amorce un événement décisif. Le clocher de Fourvière étant défaillant, on entreprend une nouvelle construction qui fournit l'occasion de placer sur l'édifice une statue de la Vierge en bronze doré, conçue par Victor Fabisch. Pour l'inauguration, la fête de la Nativité, le 8 septembre, est choisie. Hélas, des pluies diluviennes et une crue du Rhône, en août 1852, vont provoquer le report de cet événement… au 8 décembre, jour de la fête de l'Immaculée Conception. En cette occasion, les rues, les quais, les maisons vont être illuminés. Depuis, la tradition se perpétue et ce soir-là, les Lyonnais posent leurs petites bougies sur le bord de leurs fenêtres. Le 8 décembre connaîtra les aléas de l'histoire : la défaite de 1870, les affrontements entre laïques et cléricaux, l'éclipse des deux guerres mondiales, mais l'énorme effort de mise en lumière de la ville, l'élargissement de la fête sur le week-end qui la précède ou qui la suit, font que celle-ci est désormais un immense spectacle lumineux qui mêle le profane et le sacré, auquel participent des dizaines de milliers de personnes et de touristes étrangers.

The history of this local festival is linked to the city's traditional worship of the Virgin Mary, started long before Pope Pius IX proclaimed the dogma of the Immaculate Conception. Worship of the Virgin began during the times of the Lyon bishops Pothin, Saint Irénée and Eucher. At the end of the 2ⁿᵈ century, people in Lyon began praying to Mary for protection. In the 12ᵗʰ century, following the martyrdom of Thomas Becket, the archbishop of Canterbury assassinated by order of England's King Henry II, the dean of the Lyon chapter had a chapel built on Fourvière hill, dedicated both to the archbishop, who is said to have stayed in Lyon, and to the "blessed Virgin." But the December event has its origins in 1850. The bell tower of Fourvière was no longer functional and so a new construction was started, with a planned addition of a gold-covered bronze statue of Mary designed by Victor Fabisch. The inauguration was scheduled for the Feast of the Nativity, on 8 September 1852, but torrential rains and flooding of the Rhone in August caused it to be postponed to… 8 December, the Feast day of the Immaculate Conception. For the occasion, the streets, embankments and houses were illuminated with candle lamps. The tradition has continued to this day and the people of Lyon set candles on their window ledges in the evening to mark the event. Only serious upheavals have ever prevented this annual celebration: the 1870 defeat at the hands of the Prussians, violent confrontations between secular and clerical interests, and the two world wars. Thanks to the enormous efforts of the city to embellish streets and monuments with artistic public lighting and the extension of the celebration over several days, the Festival of Lights has become a huge popular event bringing in light shows and installations all over the city, blending the profane and the sacred, and attracting tens of thousands of visitors from all over France and abroad.

La storia di questa festa locale è legata al culto mariano, vivo nella città molto prima che papa Pio IX proclamasse il dogma dell'Immacolata Concezione. Al tempo dei primi vescovi lionesi Potino, San Ireneo e Eucherio, si diffuse il culto della Vergine. A Lione inizia, dalla fine del II secolo, l'invocazione della sua protezione. Nel XII secolo, dopo il martirio dell'arcivescovo di Canterbury Thomas Becket, assassinato su ordine del re d'Inghilterra Enrico II, la cappella eretta a Fourvière su istruzioni del decano del capitolo di Lione è dedicata sia al Santo inglese – che avrebbe soggiornato a Lione – sia alla "beata Vergine Maria". Ma è al 1850 che risale un avvenimento decisivo. Poiché il campanile di Fourvière era difettoso, si intraprese una nuova costruzione che fornì l'occasione per porre sull'edificio una statua della Vergine in bronzo dorato, ideata da Victor Fabisch. Per l'inaugurazione si scelse la festa della Natività, l'8 settembre. Un nubifragio e una piena del Rodano, nell'agosto del 1852, provocarono però il rinvio di questo avvenimento… all'8 dicembre, giorno della festa dell'Immacolata Concezione. Le vie, i viali, le case furono tutti illuminati per l'occasione. In seguito, la tradizione si perpetuò e, in questa sera, i Lionesi posano piccole candele sui davanzali delle finestre. L'otto dicembre conoscerà le traversie della storia: la disfatta del 1870, gli scontri tra laici e cattolici, l'eclissi delle due guerre mondiali; ma l'enorme sforzo di illuminare la città, l'estensione della festa al week-end che la precede o a quello che la segue, fanno sì che questo sia ormai un immenso spettacolo luminoso che unisce il sacro e il profano, con la partecipazione di decine di migliaia di persone e di turisti stranieri.

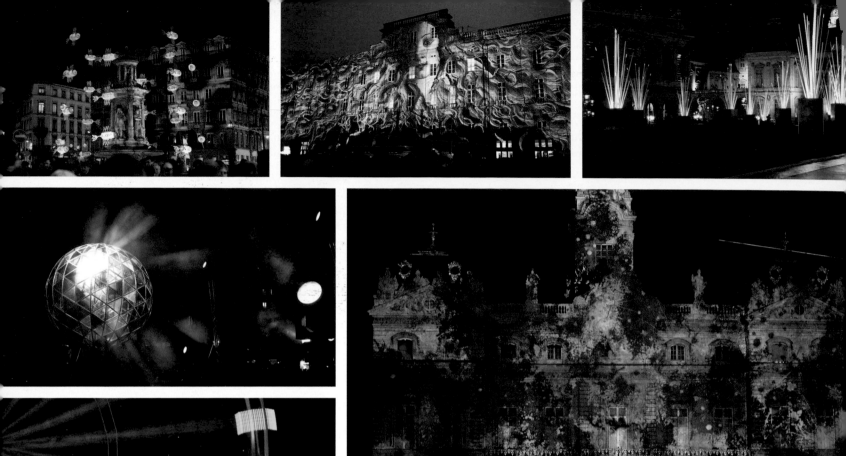

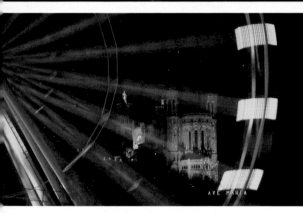

Le Palais de justice
Court house
Il palazzo di giustizia

« Une colonnade corinthienne imposante compose avec la rivière et la colline une décoration dont on ne saurait nier la magnificence ». Le docteur Locard, spécialiste en criminalistique et en criminologie, célébrait ainsi le centième anniversaire de ce palais de justice dont la construction et l'apparence ne nous laissent assurément pas indifférents. En bord de Saône, à deux pas de la cathédrale Saint-Jean, l'édifice qui prit la suite de la « basilique judiciaire romaine » et du palais de Roanne, dressant ses « vingt-quatre colonnes » qui lui inspire son surnom, aura connu bien des vicissitudes. Au début du XIXᵉ siècle, l'exiguïté des lieux dans lesquels s'exerçait la justice lyonnaise donna lieu à quantité de projets. C'est finalement en faisant l'économie d'un concours, que le gouvernement de Charles X, en 1824, confia la lourde tâche de construire un tout neuf palais de justice à Louis Pierre Baltard (auquel la capitale doit les chapelles des prisons Sainte-Pélagie et Saint-Lazare, et c'est son fils, Victor, qui réalisera l'Église Saint-Augustin et les Halles centrales à Paris). Mais, tiraillé entre les dépassements de devis, des problèmes de santé, ses hésitations et les contestations dont il était l'objet, Baltard, qui décède en 1846, ne verra pas l'inauguration de son œuvre. En 1852, on corrigeait encore les imperfections du Palais aux 24 colonnes corinthiennes taillées dans la pierre ardéchoise de Crussol où pourtant de grands procès auront lieu : de celui de l'anarchiste Caserio, assassin du président Carnot en 1894, au procès du chef de la Gestapo Klaus Barbie en 1987, il conserve encore, alors qu'un autre palais a été inauguré en 1995 dans la nouvelle cité judiciaire de la Part-Dieu, la cour d'Assises du Rhône et la cour d'Appel de Lyon, attachées à l'historique bâtiment du quai Romain Rolland…

"An imposing line of Corinthian columns, framed by the hill and the river, forms a truly magnificent composition," declared Dr. Locard, a specialist in criminalistics and criminology, on the occasion of the centennial of the court house, a building you either love or hate. Its neoclassic façade earned it the nickname of "the 24 Columns." On the banks of the Saône river, just a few paces from Saint Jean Cathedral, the current edifice was built on the site of the Roman court and the royal Roanne court. The court house had a difficult start. In the early 19th century, the Roanne court had become too small and many projects were proposed to replace it. In 1824, Charles X decided not to bother with a competition of architects and simply assigned the daunting task to Louis Pierre Baltard, known in Paris for the prison chapels of Sainte Pélagie and Saint Lazare. His son Victor built the church of Saint Augustin and the Halles (central food market) of Paris. Plagued by cost overruns, health problems, challenges to his authority and his own hesitations, Baltard died in 1846 before the building was inaugurated. In 1852, certain imperfections were corrected on the court house and its 24 Corinthian columns made of Crussol stone from the nearby Ardèche region. In spite of its inauspicious beginnings, famous cases have been tried here: that of the anarchist Caserio who assassinated President Carnot in 1894, and the trial of the Gestapo chief Klaus Barbie in 1987. Though a new court house was built in the Part-Dieu district in 1995, the 24 Columns building is still home to the Assize Court (felony trials) of Rhone County and the Appeals Court of the city of Lyon.

"Un imponente colonnato corinzio compone, con il fiume e la collina, un arredo urbano innegabilmente magnifico". Il dottor Locard, specialista in criminalistica e criminologia, celebrava così il centesimo anniversario di questo palazzo di giustizia la cui struttura e il cui aspetto non ci lasciano certamente indifferenti. Sul bordo della Saône, a due passi dalla cattedrale di Saint Jean, l'edificio che prese il posto della "basilica giudiziaria romana" e del palazzo di Roanne, con le sue "ventiquattro colonne" che ne ispirarono il soprannome, subì molte vicissitudini. All'inizio del XIX secolo, l'esiguità degli ambienti nei quali si esercitava la giustizia lionese diede il via a una quantità di progetti. Alla fine, ricorrendo a un concorso, il governo di Carlo X assegnò nel 1824 il gravoso incarico di costruire un palazzo di giustizia completamente nuovo a Louis Pierre Baltard (al quale la capitale deve le cappelle delle prigioni San Pelagio e San Lazzaro, mentre suo figlio Victor realizzerà la chiesa Saint-Augustin e le Halles centrali a Parigi). Tormentato dallo sforamento del preventivo, da problemi di salute, dalle sue esitazioni e dalle contestazioni di cui era oggetto, Baltard, che morì nel 1846, non vedrà l'inaugurazione della sua opera. Nel 1852 si stavano ancora correggendo le imperfezioni del Palazzo dalle 24 colonne corinzie tagliate nella pietra dell'Ardéche di Crussol; tuttavia vi si svolsero grandi processi: da quello dell'anarchico Caserio, assassino del presidente Carnot nel 1894, al processo del capo della Gestapo Klaus Barbie nel 1987. Anche se nel 1995 è stato inaugurato un altro palazzo nella nuova città giudiziaria della Part-Dieu, conserva ancora la corte d'Assise del Rodano e la Corte d'Appello di Lione, site nella storica costruzione del viale Romain Rolland…

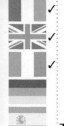

L'hôtel-Dieu
Hôtel-Dieu
L'Ospedale

Il est le premier, chronologiquement, des hôpitaux lyonnais. Sa naissance est entourée d'une légende, faisant passer le roi Childebert et son épouse Ultrogothe comme ses fondateurs. Ils firent en fait construire au VIᵉ siècle un établissement qui se situait le long de la Saône… C'est au XIIᵉ siècle que le véritable ancêtre de l'hôtel-Dieu a vu le jour, administré par les frères Pontifes, à l'origine du pont construit sur le Rhône, au bout duquel avait été conçu un bâtiment d'hébergement destiné aux malheureux et aux malades. De cet ancien « Hôtel-Dieu de Notre-Dame de Pitié du Pont du Rhône » rien ne subsiste, là où pourtant un certain François Rabelais exerça comme médecin de 1532 à 1535. Au XVIIᵉ siècle, des travaux permirent la construction, entre 1622 et 1631, du « petit dôme », puis de la chapelle actuelle avec sa façade de style Louis XIII et ses deux clochers. Au siècle suivant, l'imposant « Palais du Quai », fut réalisé par l'architecte Germain Soufflot, dont la façade monumentale (375 mètres) surplombe toujours le Rhône, alors que le centre de l'édifice voyait s'élever le « Grand Dôme », reconstruit après l'incendie qui le ravagea le 4 septembre 1944. Considéré sous l'ancien Régime comme l'un des plus grands hôpitaux du royaume, c'est en 1802 que Chaptal, ministre de l'Intérieur de Bonaparte, regroupa l'hôpital avec celui de la Charité tout proche (aujourd'hui disparu, sauf son clocher, place Antonin-Poncet), dans le cadre des Hospices Civils de Lyon, institution toujours bien en place. L'hôpital, appelé au XXIᵉ siècle à d'autres orientations qui restent à définir, a connu les plus grands chirurgiens, comme Joseph Gensoul, Léopold Ollier, Antonin Poncet, Mathieu Jaboulay qui s'intègrent au riche patrimoine médical lyonnais, visible par ailleurs au sein du musée des Hospices abrité par l'hôtel-Dieu.

This is the first and oldest of Lyon's hospitals. Its origins are not entirely clear; some claim that it was founded by King Childebert and his wife Ultrogothe. The royal couple had in fact built a different edifice in the 6th century, on the banks of the Saône. It was not until the 12th century that the real Hôtel-Dieu was built, under the direction of the Pontifes brothers, who also built the bridge on the Rhone leading to the hospice for the sick and destitute. Nothing remains of the original "Hôtel-Dieu de Notre-Dame de Pitié du Pont du Rhône," where a certain François Rabelais practiced medicine from 1532 to 1535. In the 17th century, the "petit dome" was built, from 1622 to 1631, followed by the current chapel, with its Louis XIII façade and two bell towers. In the 18th century came the imposing "Palais du Quai," designed by famed architect Germain Soufflot. The monumental façade (375 metres) still towers over the Rhone embankment, though the central "Grand Dôme" had to be rebuilt after a fire on 4 September 1944. Considered one of the biggest hospitals of the kingdom, it was enlarged under Bonaparte in 1802 by Chaptal, the Minister of the Interior, who joined it with the nearby Charité hospital (now gone except for its bell tower on Place Antonin-Poncet), placing it under the administration of the Civil Hospices of Lyon, an institution which still exists today. Though the building will cease to be a hospital in the near future, it will be remembered as the home of some of the great surgeons of their times: Joseph Gensoul, Léopold Ollier, Antonin Poncet and Mathieu Jaboulay contributed to Lyon's renown in the field of medicine. Visitors can learn more about this rich heritage in the Hospices Museum, located in the Hôtel-Dieu building.

È il primo ospedale lionese in ordine di tempo. La sua nascita è avvolta da una leggenda che ne attribuisce la fondazione al re Childebert e a sua moglie Ultrogothe. Essi fecero in effetti costruire un edificio nel VI secolo, sito lungo la Saône...
Il vero predecessore dell'ospedale, amministrato dai fratelli Pontifes, sorse però nel XII secolo: all'inizio del ponte costruito sul Rodano, al termine del quale era stata progettata una struttura destinata all'alloggio degli infelici e degli ammalati. Di questo antico "Ospedale di Nostra Signora della Pietà del Ponte del Rodano" non esiste più nulla, anche se un certo François Rabelais vi esercitò la professione medica dal 1532 al 1535. Nel XVII secolo, tra il 1622 e il 1631, dei lavori permisero la costruzione della "piccola cupola", poi della cappella attuale con la facciata in stile Luigi XIII e i due campanili. Nel secolo seguente l'architetto Germain Soufflot realizzò l'imponente "Palazzo del Lungofiume", la cui facciata monumentale (375 metri) sovrasta sempre il Rodano, mentre il centro dell'edificio vedeva elevarsi la "Grande Cupola", ricostruita dopo l'incendio che la devastò il 4 settembre 1944. Considerato sotto l' "ancien Régime" come uno dei più grandi ospedali del regno, nel 1802 il ministro degli Interni di Bonaparte, Chaptal, riunì l'ospedale con quello vicino della Carità (oggi scomparso, tranne il campanile in piazza Antonin-Poncet), nell'ambito degli Ospedali Civili di Lione, istituzione ancora oggi esistente. L'ospedale, destinato nel XXI secolo ad altri scopi non ancora definiti, ha conosciuto i più grandi chirurghi, come Joseph Gensoul, Léopold Ollier, Antonin Poncet, Mathieu Jaboulay che si iscrivono nel ricco patrimonio medico lionese, visibile d'altronde nel museo degli Ospizi ospitato nell'Ospedale.

L'hôtel de ville
Town Hall
Il Municipio

L'étroitesse des lieux dans lequel exerçaient les échevins, membres du consulat lyonnais – la municipalité d'autrefois – (qui siégeaient en la chapelle Sainte-Jacquème à Saint-Nizier puis dans la maison Charnay, rue de la Poulaillerie, enfin à l'hôtel de la Couronne, aujourd'hui siège du musée de l'imprimerie), entraîna au XVIᵉ siècle la décision de construire un hôtel de ville digne de ce nom. En 1646, le voyer de la ville, Simon Maupin dirigea des travaux, place des Terreaux, qui aboutirent laborieusement, en 1672. Deux ans plus tard, hélas, un incendie ravagea le bâtiment. Par manque de moyens, ce n'est qu'à partir de 1700 que le Consulat confia à Jules Hardouin-Mansart, architecte du palais de Versailles et du dôme des Invalides, la restauration des lieux. Ce dernier transforma totalement l'édifice de son prédécesseur qui, au début du XVIIIᵉ siècle, offrait déjà son visage actuel. Endommagé par les bombardements infligés par la Convention lors du siège de la ville sous la Révolution, en 1793, pendant le Second Empire des travaux de restauration furent engagés par le préfet Vaïsse. En 1897 fut installée une nouvelle salle pour les séances du conseil municipal. Intérieurement, le grand escalier d'honneur (construit sur les plans du mathématicien Desargues avec des peintures de Thomas Blanchet), le « grand salon » conçu pour les réceptions (salon Justin Godart), et ses autres salons (Rouges, Henri IV, Louis XIII, des Armoiries, du Consulat, de la Conservation) forment l'essentiel de cet édifice. La cour d'honneur est dominée par le beffroi de Mansart dont la coupole abrite un riche carillon de 64 cloches réputé pour ses concerts.

The town councillors, tired of the space constraints and changes of location, from the Sainte-Jacquème chapel in Saint-Nizier, to Maison Charnay on Rue de la Poulaillerie, to the Hôtel de la Couronne (now the Museum of Printing), decided in the 16th century to build a proper and dignified town hall. In 1646, the town surveyor, Simon Maupin, supervised the construction on Place des Terreaux, laboriously completed in 1672. Two years later, the building was severely damaged by fire. For lack of money, it wasn't until 1700 that the town council was able to rebuild the hall, designed by Jules Hardouin-Mansart, the architect of Versailles and the Invalides Dome. He completely transformed the building of his predecessor, giving it its current appearance. Damaged by the canon balls of the Revolutionary Convention during the siege of the city in 1793, restoration works were carried out during the Second Empire by the Prefect Vaïsse. In 1897, a new room was built for the meetings of the town council. The grandiose interior is noted for its magnificent stairway (built according to the design of the mathematician Desargues and decorated with paintings by Thomas Blanchet), the Justin Godart grand ceremonial hall (named for a local statesman) and its other superbly decorated halls (the Red Rooms, Henri IV, Louis XIII, Armoiries, Consulat and Conservation Halls). The central courtyard is dominated by the belfry designed by Mansart, whose cupola houses a fine 64-bell carillon which is still used for concerts.

La ristrettezza dei luoghi nei quali esercitavano la loro attività gli scabini, membri del consolato lionese – l'antica municipalità – (che avevano la sede nella cappella San Giacomo a Saint-Nizier, poi nella casa Charnay in via de la Poulaillerie, infine alla locanda della Corona, oggi sede del museo della stampa), portò nel XVI secolo alla decisione di costruire un municipio degno di questo nome. Nel 1646, l'addetto alla viabilità comunale Simon Maupin diresse i lavori nella piazza di Terreaux, che terminarono faticosamente nel 1672. Due anni più tardi, purtroppo, l'edificio fu devastato da un incendio. Per mancanza di mezzi, solo dopo il 1700 il Consolato affidò il restauro dei locali a Jules Hardouin-Mansart, architetto del Palazzo di Versailles e degli Invalidi. Quest'ultimo trasformò totalmente l'edificio del suo predecessore che, all'inizio del XVIII secolo, aveva già l'aspetto attuale. Danneggiato nel 1793 dai bombardamenti inflitti dalla Convenzione durante l'assedio della città all'epoca della Rivoluzione, durante il Secondo Impero il prefetto Vaïsse iniziò alcuni lavori. Nel 1897 fu aperta una nuova sala per le sedute del consiglio municipale. All'interno, il grande scalone d'onore (costruito su progetto del matematico Desargues con pitture di Thomas Blanchet), il "grande salone" destinato ai ricevimenti (salone Justin Godart) e gli altri saloni (Rosso, Enrico IV, Luigi XIII, degli Armadi, del Consolato, della Conservazione) costituiscono l'essenziale di questo edificio. Il cortile d'onore è dominato dalla Torre Campanaria di Mansart, la cui cupola ospita un ricco carillon di 64 campane famoso per i suoi concerti.

La cuisine, les mères, les chefs, les bugnes, les papillotes
Lyon cuisine, its origins and specialities
La cucina, le madri, gli chef, le "bugnes", le "papillotes"

Dans un ouvrage publié en 1935, Curnonsky, surnommé le « prince des gastronomes », qui venait de décerner à la ville le titre de « capitale de la gastronomie », écrivait : « … La cuisine lyonnaise participe de l'Art français, justement en ce qu'elle ne fait jamais d'effet. Elle ne pose pas, elle ne sacrifie pas à la facile éloquence. Elle atteint, tout naturellement et comme sans effort, ce degré suprême de l'Art : la Simplicité. » Ses grands chefs, ses « toques blanches », à l'image de leur chef de file, Paul Bocuse, sacré « cuisinier du siècle » (le vingtième) par la critique, tiennent toujours haut le flambeau. Dans une société pourtant réputée naguère très misogyne, ce sont ses « mères », derrière leur fourneau, qui ont conféré à la cuisine lyonnaise quelques-unes de ses lettres de noblesse. Elles avaient pour nom la « mère Guy », la mère Bigousie, Célestine Blanchard mais les plus célèbres furent la mère Fillioux (1895-1925) et sa légendaire volaille truffée demi-deuil et la mère Brazier (Eugénie, 1895-1977), qui officia dans ses deux restaurants, de la rue Royale et du col de la Luère. Ce qui n'empêche pas le Lyonnais de sacrifier à des gourmandises plus simples et ancestrales. La « bugne » en est une illustration, ce petit beignet en forme de nœud, de rectangle ou de losange consommé en période de carnaval et qui remonte au Moyen Âge. Quant à la « papillote », elle doit, en ce domaine comme dans d'autres, ses origines à une belle légende : celle du pâtissier Papillot, rue du Bât d'Argent, quartier des Terreaux, qui découvrit un jour que son commis dérobait des friandises qu'il enroulait dans des billets doux destinés à sa dulcinée. Il chassa l'indélicat mais conserva, en l'améliorant, le procédé et ainsi serait née la papillote…

In 1935, Curnonsky, known as "the prince of gastronomes," declared Lyon the capital of gastronomy, writing that "Lyon cuisine contributes to French art, without artifice. It doesn't pose, it doesn't resort to facile eloquence. Quite naturally, and apparently without effort, it achieves that supreme level of art: Simplicity." Lyon's great chefs, its "toques blanches," led by the famous Paul Bocuse, whom some have called the chef of the century, still carry on the fine tradition of Lyon cuisine. In a profession long known for its misogyny, it was nonetheless the "mères" (mothers) of Lyon restaurants, slaving away in the kitchens, who gave the city its reputation for good food. Some of the best-known were Mère Guy, Mère Bigousie and Célestine Blanchard, but the real greats were Mère Fillioux (1895-1925) and her legendary "demi-deuil" chicken with truffles, and Mère Brazier (1895-1977), who ran two restaurants, one on Rue Royale in town and the other on Col de la Luère, in the western hills. But locals also regularly give in to more simple pleasures, such as the bugne. This little beignet in the shape of a bow, a rectangle or diamond, is eaten during Carnival and dates back to the Middle Ages. Then there is the papillote, and the tale of its origins: Mr. Papillot, a chocolate-maker on Rue du Bât d'Argent in the Terreaux district, discovered that his assistant was stealing chocolates, which he wrapped in little love notes addressed to his sweetheart. The assistant was fired, but Mr. Papillot kept the idea, with some minor improvements, and the papillote was born.

In un'opera pubblicata nel 1935, Curnonsky, soprannominato il "principe dei gastronomi" e che aveva appena conferito alla città il titolo di "Capitale della gastronomia", scriveva: "…la cucina lionese fa parte dell'Arte francese senza clamori. Non si dà arie, non si lascia andare alla facile eloquenza. Essa raggiunge, in assoluta naturalezza e apparentemente senza sforzi, questo grado supremo dell'Arte: la Semplicità." I suoi grandi chef, i suoi " berretti bianchi" seguaci del loro capofila Paul Bocuse, nominato dalla critica "cuoco del secolo" (il ventesimo), tengono sempre alta la bandiera. In un società pur ritenuta in precedenza molto misogina, si devono alle "madri" dietro i fornelli alcuni dei titoli di nobiltà assegnati alla cucina lionese. Si chiamavano "mamma Guy", mamma Bigousie, Célestine Blanchard; ma le più celebri furono mamma Fillioux (1895-1925) con il suo leggendario pollame tartufato in salsa bianca e mamma Brazier (Eugénie, 1895-1977), che lavorò nei suoi due ristoranti in Rue Royale e del Colle della Luère. Questo non impedisce ai lionesi di dedicarsi a prelibatezze più semplici e antiche. Un esempio è la "bugne" (sorta di bugia): una piccola pasta in forma di nodo, di rettangolo e di losanga che si consuma nel periodo di carnevale e che risale al Medio Evo. Per quanto riguarda la "papillote", essa deve, in questo e in altri campi, la sua origine a una bella leggenda: quella del pasticcere Papillot di rue du Bât d'Argent, nel quartiere di Terreaux, che scoprì un giorno il suo commesso mentre rubava leccornie che poi fasciava in bigliettini dolci destinati alla sua innamorata. Egli cacciò il commesso disonesto ma conservò, migliorandolo, il processo dando così vita alla "papillote"…

Gaufres et bugnes

Gratinée

Cervelle de canut

Andouillette

Gâteau de foies

Tarte aux pralines

Tablier de sapeur

Quenelles

Beignets d'acacia

Les bouchons, les cochonnailles, les grattons
"Bouchon" bistros, and the myriad uses of pork
Le bettole, i salumi, i ciccioli

Le Lyonnais les appelle les « bouchons ». Rien à voir avec les embouteillages, encore que cette désignation tiendrait banalement son origine du bouchon de la bouteille, ou encore du tas de paille que, jusqu'au XIXe siècle, les auberges fournissaient à leurs clients pour « bouchonner » leurs chevaux ou, enfin, de la grappe de pomme de pin, chère à Bacchus, qu'en d'autres temps, les tenanciers disposaient comme signe distinctif à leur porte. Quoi qu'il en soit, le « bouchon » est à Lyon le type du petit bistro à mâchons, autre expression qui est le symbole d'un repas peu orthodoxe : « C'est un en-cas qui se prend autour de quelques pots / bouteilles de verre à fond épais qui contiennent leur 46 cl de beaujolais ou de côtes du Rhône/, vers neuf heures du matin, pour meubler la matinée, et vers cinq heures du soir, pour permettre d'attendre le dîner », écrivait le regretté humoriste et homme de goût que fut Félix Benoit. On vous servira, dans la tradition, outre le saucisson lyonnais, « une assiette de cochonnailles chaudes, le cervelas truffé, le tablier de sapeur, un gratin de cardons ou de macaronis, le tout suivi d'une tartine de fromage fort ou d'un saint-marcellin prêt à rendre l'âme », ajoute Pierre Grison dans sa « table des canuts ». Et si vous le souhaitez, avant l'apéritif, consommez, en amuse-gueule, ces résidus grillés de graisse de porc appelés « grattons »…

The people of Lyon call them "bouchons," which is the same word they use for a traffic jam, but there is no connection, except that the term for the bistro comes simply from the "bouchon" i.e. cork, for wine bottles, or else the "bouchon" of straw which innkeepers until the 19th century gave to customers for their horses, or else the bouchon pinecone atop the staff of Bacchus, which eateries once hung outside the door to symbolise good food. Whatever the origin, the Lyon bouchon is a little bistro serving "mâchons," yet another local expression, for a peculiar type of meal: a heavy snack, washed down with a few "pots" (46 cl bottles of beaujolais or côtes du Rhône wine), "at 9 in the morning, to keep one busy, and at 5 in the afternoon, while waiting for dinner," wrote a beloved local humorist, Félix Benoit. At a traditional bouchon, you will be served, in addition to the standard Lyon sausage, a plate of cooked pork dishes, truffle cervelas sausage, tripe, a cardoon or macaroni gratin, followed by a strong cheese spread on toast or a Saint-Marcellin cheese "on the verge of collapse," as food critic Pierre Grison describes it in his book. And, as you enjoy an aperitif while getting ready for the next meal, you might like to try a salty snack of fried pork rind known as grattons.

I Lionesi li chiamano i « bouchons ». Niente a che vedere con l'imbottigliamento, anche se questa designazione avrebbe banalmente la sua origine dal tappo della bottiglia; né con il mucchio di paglia che, fino al XIX secolo, le locande fornivano ai clienti per strofinare i loro cavalli; né, infine, con il grappolo di pigne caro a Bacco che, in passato, i gestori mettevano come insegna alle loro porte. In ogni modo, il "bouchon" è a Lione un tipo di piccola osteria che serve i "mâchons" un'altra espressione che indica un pasto poco ortodosso: "È un "qualcosa" che si prende insieme a qualche boccale (bottiglie di vetro dal fondo spesso che contengono 46 cl di beaujolais o di côtes du Rhône), verso le nove del mattino, per movimentare la mattinata, e verso le cinque della sera, per poter aspettare la cena", scriveva il compianto umorista e buongustaio Félix Benoit. Oltre alla salsiccia lionese vi serviranno, secondo la tradizione, "un piatto di salumi caldi, le cervella farcite, il "tablier de sapeur" (grembiule del geniere: piatto a base di trippa), cardi o maccheroni gratinati, il tutto seguito da una tartina di formaggio forte o da un Saint-Marcellin pronto a rendere l'anima", aggiunge Pierre Grison nella su "tavola dei setaioli". E se lo desiderate, prima dell'aperitivo, consumate come stuzzichino questi avanzi grigliati di grasso di maiale chiamati "grattons" (ciccioli)…

Les tripes

Les grattons

CAFÉ DES FÉDÉRATIONS

Guignol et le parler lyonnais
Guignol and the Lyon dialect
Guignol, la parlata lionese

Ceux qui pensent que « Guignol » n'est qu'une marionnette destinée aux enfants se trompent. D'ailleurs le « Petit Larousse » est explicite : « Personnage du théâtre de marionnettes français. Originaire d'Italie, il fut introduit à Lyon à la fin du XVIIIᵉ siècle par Laurent Mourguet (1769-1844). Guignol et son ami Gnafron symbolisent l'esprit frondeur du peuple ». Il fut – pour être plus précis que le Larousse – inventé par Laurent Mourguet au début du XIXᵉ siècle (une date reconnue : 1808), un peu par nécessité puisque le monde de la soie en crise ne nourrissait plus son homme et notre Lyonnais, reconverti en arracheur de dents, l'avait conçu en stratagème pour distraire la grande douleur de ses patients qui avaient « la gaugne en pantoufle », comme l'on dit chez nous. De la marionnette isolée, encore que précédée de celui qui devint son inséparable compère, Gnafron – un cordonnier un peu porté sur la bouteille –, il va se mouvoir au sein d'un répertoire théâtral, incarnant le personnage insoumis et révolté contre l'injustice. « Nous devons, déclarait un des fervents supporters de la marionnette et de son environnement, Monseigneur Joseph Lavarenne, saluer Laurent Mourguet et ses héritiers, car vraiment ils ont créé un théâtre et une littérature populaires qui font honneur à notre Cité et à notre pays ». Une littérature qui avait son « parler » et si le « franco-provençal » est, à l'origine, la langue de notre région – coincée entre la langue d'Oïl et la langue d'Oc –, celle de Guignol correspond au français parlé à Lyon au XIXᵉ siècle, dans le monde des ouvriers en soie, les canuts…

Those who think that Guignol is just a puppet for children are terribly mistaken. Just have a look at the Petit Larousse dictionary: "A French puppet theatre character. Originating in Italy, the character was taken up in Lyon at the end of the 18th century by Laurent Mourguet (1769-1844). Guignol and his friend Gnafron symbolise the rebellious nature of the local people." We hate to contradict the Larousse, but the character was in fact invented by Laurent Mourguet in the early 19th century, in 1808, to be precise. He turned to puppetry out of necessity because work was scarce in the failing silk industry, and Mourguet wasn't much of a success either at his new job as street dentist. To distract his patients from the pain he was inflicting, he devised his puppet character. From there he introduced a new character, Guignol's inseparable friend, Gnafron, a shoemaker a bit too fond of the bottle. Popular success took him to develop an entire body of theatrical works centred around the headstrong character and his tirades against injustice. One of his fervent admirers, Monsignor Joseph Lavarenne, claimed that, "we must praise Laurent Mourguet and his successors for they have truly created a popular theatre and literature which have contributed to the fame of our city and our country. This literature has its own flavour and own dialect, and though its origins may be Franco-Provençal, somewhere between the "langue d'Oïl" of the north and the "langue d'Oc" of the south, the language of Guignol perfectly reflects the French spoken by the common people of Lyon in the 19th century, and in particular by the silk workers, called the Canuts.

Chi pensa che "Guignol" sia solo una marionetta destinata ai bambini si sbaglia. D'altronde il "Petit Larousse" è esplicito: "Personaggio del teatro delle marionette francesi. Originario dell'Italia, fu introdotto a Lione alla fine del XVIII secolo da Laurent Mourguet (1769-1844). Guignol e il suo amico Gnafron simboleggiano lo spirito contestatore del popolo". Egli fu inventato – per essere più precisi del Larousse – da Laurent Mourguet all'inizio del XIX secolo (una data riconosciuta: 1808), in parte per necessità: il settore della seta in crisi non dava più di che vivere ai suoi uomini e il nostro Lionese, convertitosi in cavadenti, l'aveva ideato come stratagemma per distrarre dal forte dolore quei pazienti che avevano « la guancia come una pantofola », come si dice da noi. Da quella marionetta isolata, sebbene preceduta da quello che divenne il suo inseparabile compare, Gnafron (un ciabattino un po' incline alla bottiglia), si mosse nell'ambito un repertorio teatrale che rappresentava un personaggio indomito e ribelle contro le ingiustizie. "Dobbiamo salutare Laurent Mourguet e i suoi eredi – dichiarava uno dei ferventi estimatori dalla marionetta e del suo ambiente, monsignor Joseph Lavarenne – perché essi hanno veramente creato un teatro e una letteratura popolari che fanno onore alla nostra Città e al nostro paese". Una letteratura che aveva la sua "parlata"; e se il "franco-provenzale" è la lingua originaria della nostra regione – stretta tra la lingua d' d'Oïl e la lingua d'Oc –, quella di Guignol corrisponde al francese parlato a Lione nel XIX secolo, nel mondo degli operai della seta, i setaioli ("canuts").

La soierie
Silk industry
La seteria

La légende veut que la soie ait été inventée par une princesse chinoise, Hsi Ling-shi, en 2640 avant notre ère. Mais, du précieux tissu venu de ce pays lointain, Lyon va, quelques siècles plus tard, savoir user. En 1466, le roi Louis XI accorde à la ville des privilèges pour la fabrication des étoffes de soie. Avec l'octroi de plusieurs foires, voilà qui ouvre des perspectives, concrétisées sous François 1er qui, en 1536, accorde un nouveau privilège de la fabrication des étoffes d'or, d'argent et de soie. Un Piémontais, Étienne Turquet, appuyé par un de ses compatriotes, Barthélemy Naris, obtient la formation d'une « société commerciale de la Fabrique lyonnaise » et un édit de 1540 donne à Lyon le monopole de la soie. La « Grande Fabrique » regroupe deux siècles plus tard 14 000 métiers, fournissant du travail à 30 000 hommes femmes et enfants. Au XIXe siècle, associé à l'image du « canut » – l'ouvrier en soie – et de l'inventeur Jacquard, se confirme le prestige de la soierie lyonnaise qui, mondialement réputée, voit son commerce s'internationaliser. Le XXe siècle assiste à l'émergence des fibres artificielles et synthétiques qui supplantent les matières naturelles. La crise déclenchée en 1929 contrarie l'expansion de la soierie lyonnaise. Il ne demeure qu'environ 500 fabricants de soierie en 1945, plus que 25 en l'an 2000. Pourtant, la soie est toujours là, relève Jean Etèvenaux dans « La soierie lyonnaise ». Le bas des pentes « de la Croix-Rousse » comme on dit à Lyon – autrement dit la plus grande partie du premier arrondissement – est devenu la terre d'élection des créateurs de textile et de l'habillement » ; dans la « grande tradition de la soierie lyonnaise » !

Legend has it that silk was invented by a Chinese princess, Hsi Ling-shi, in 2640 BC. But that fine fabric from a distant land found its true glory in the looms of Lyon many centuries later. In 1466, King Louis XI granted Lyon the right to manufacture silk fabric. Thanks to the city's great fairs, silk manufacturing and trading began to flourish. Then, in 1536, King François I granted Lyon the right to make silks with gold and silver thread. A businessman from Piedmont region of Italy, Etienne Turquet, with the backing of another Italian, Barthélemy Naris, set up a manufacturing and trading company which became known as La Fabrique. In 1540, Lyon was granted the monopoly on silk. Two centuries later, the Fabrique had a total of 14,000 looms, and provided work to 30,000 men, women and children. By the 19th century, thanks to the talent of the "Canut" silk workers and the great inventor Jacquard, Lyon's fame as a silk capital had spread around the world, along with its commerce. The 20th century saw the arrival of artificial and synthetic fibres which posed a threat to natural materials. The economic crisis of 1929 spelled the end of growth for Lyon's silk industry. Only 500 manufacturers remained in 1945, and by 2000 the number was down to 25. And yet silk is still a feature of the local economy and heritage, as described in the book "La soierie lyonnaise" by Jean Etèvenaux. The bottom of Croix-Rousse hill, the historic site of the industry, located in Lyon's 1st district, has become the new hotspot for young textile and clothing designers. And so the grand Lyon tradition continues.

La leggenda vuole che la seta sia stata inventata da una principessa cinese, Hsi Ling-shi, nel 2640 prima della nostra era. Lione, qualche secolo più tardi, inizia a saper usare il prezioso tessuto venuto da quel paese lontano. Nel 1466 re Luigi XI accorda alla città alcuni privilegi per la fabbricazione delle stoffe di seta. Con la concessione di varie fiere si aprirono nuove prospettive concretizzate sotto Francesco I che, nel 1536, accordò un nuovo privilegio per la fabbricazione delle stoffe d'oro, d'argento e di seta. Stefano Turquet, un piemontese sostenuto da uno dei suoi compatrioti, Bartolomeo Naris, ottenne la costituzione di una "società commerciale della Fabbrica lionese" e un editto del 1540 concede a Lione il monopolio della seta. La "Grande Fabbrica" dispone due secoli più tardi di 14.000 telai, dando lavoro a 30.000 uomini, donne e bambini. Nel XIX secolo, associato alla figura del "canut" – il setaiolo – e dell'inventore Jacquard, si conferma il prestigio della seteria lionese che, rinomata a livello mondiale, vede il suo commercio internazionalizzarsi. Il XX secolo assiste alla nascita delle fibre artificiali e sintetiche che soppiantano le materie naturali. La crisi scoppiata nel 1929 ostacola l'espansione della seteria lionese. Nel 1945 rimanevano solo 500 fabbricanti di seta; nel 2000, solo 25. La seta è però sopravvissuta, nota Jean Etèvenaux ne "La seteria lionese". La base dei pendii "della Croix-Rousse" come si dice a Lione – altrimenti detta la parte più grande del primo dipartimento – è diventata la terra di elezione dei creatori del tessile e dell'abbigliamento". Nella "grande tradizione della seteria lionese".

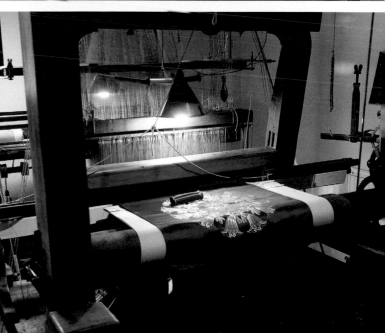

Les canuts
The Canuts
I setaioli ("canuts")

Le « canut », dont l'image s'associe à l'histoire du XIXᵉ siècle, tire son nom – peut-être, car les avis divergent ! – de la « canette », la bobine sur laquelle roule la soie, la matière de prédilection de notre ouvrier. Son univers : la colline de la Croix-Rousse, où, en 1834, 2 885 métiers tournent, auxquels il faut ajouter ceux des bas quartiers du Lyon de la Renaissance (le Vieux-Lyon), Saint-Georges, Saint-Jean et Saint-Paul, et même dans la presqu'île entre Rhône et Saône. Les cadences et les conditions de travail sont extrêmement dures. Aussi, par deux fois au moins, le canut s'insurge, en 1831 et en 1834, léguant, avec ces révoltes durement réprimées, une marque sanglante dans l'histoire ouvrière de la ville. Mais il demeure exemplaire : « A donc, le canut a de la tenue », dit un dicton lyonnais. Pas comme l'ouvrier parisien, se plaisent à dire certains. À tel point qu'un érudit local, Clair Tisseur, s'en prendra à Émile Zola, lui reprochant « les scènes écœurantes et si souvent fausses de *Germinal* », et lui conseillant de « peindre des scènes honnêtes et vraies, dans un bon livre où aurait pu revivre mon vieux canut ». Lyonnais jusqu'au bout des ongles mâchés par le métier, le canut se consacre au jeu de boules – la « lyonnaise » –, participe à la fête connue à Lyon sous le nom de « vogue » et s'il consacre, au cabaret, plus d'un « pot » (mesure de vin lyonnaise) à sa soif, il se rend aussi à un petit spectacle de marionnettes où le héros se nomme Guignol, « type de canut lui-même, dont les lazzis moqueurs et dérisoires à son encontre font pourtant ses délices et son plus parfait amusement »…

The name Canut, designating the Lyon silk workers, and closely tied to the image of the city in the 19ᵗʰ century, derives – perhaps!! – from the word "canette" which is the bobbin for silk thread, the raw material of our famous workers. Their home: Croix-Rousse hill, where 2,885 looms were at work in 1834, not to mention those in the lower Renaissance district on the other side of the Saône river, in the Vieux-Lyon, Saint-Georges, Saint-Jean and Saint-Paul neighbourhoods, as well as on the peninsula. The pace and working conditions were extremely difficult, which led to violent revolts in 1831 and 1834. The harsh repression of these uprisings mark a bloody page in the history of Lyon's working class. The Canut is a widely admired character, known for his hardiness, unlike his Parisian counterparts, according to some. A local scholar, Clair Tisseur, even went so far as to criticize Emile Zola for exaggerated scenes in his book, "Germinal" and advised him to take inspiration from the honest and genuine lives of "our dear old Canut." A true son of Lyon, down to the tips of his fingers worn to the bone by his loom, the Canut has a few cherished pastimes: a local form of bowls known as "boules", an annual fair called the "vogue," a steady flow of "pot" (a specifically Lyon measure of wine) and an occasional puppet show with the local hero, Guignol, a Canut himself, who always manages to get the better of his opponents and have fun at the same time!

Il "canut", figura tipica della storia del XIX secolo, prende il nome – forse, poiché i pareri sono discordi! – dalla "canette" (spola), la bobina sulla quale si avvolge la seta, il materiale prediletto del nostro operaio. Il suo universo: la collina della Croix-Rousse dove, nel 1834, sono in funzione 2.885 telai, ai quali bisogna aggiungere quelli dei quartieri bassi della Lione rinascimentale (la Vecchia-Leone), San Giorgio, San Giovanni e San Paolo, e anche nella penisola tra il Rodano e la Saône. Gli orari e le condizioni di lavoro sono estremamente duri. Così i setaioli insorgono almeno due volte, nel 1831 e nel 1834; lasciando, con queste rivolte duramente represse, un marchio di sangue nella storia operaia della città. Restano però esemplare: "Al dunque, il setaiolo ha un contegno" dice un detto lionese. Non come l'operaio parigino, secondo quanto ama dire qualcuno. Al punto che un erudito locale, Clair Tisseur, attaccò Emile Zola, rimproverandogli :"le scene stucchevoli e così spesso false di *Germinal*", consigliandogli di "rappresentare scene oneste e vere, in un buon libro dove avrebbe potuto rivivere il mio vecchio setaiolo". Lionese fino alla punta delle unghie rovinate dal telaio, il setaiolo si dedica al gioco delle bocce – la "lionese" – partecipa alla festa conosciuta a Lione con il nome di "vogue" (fiera) e si concede, all'osteria, più di un "pot" (misura di vino lionese) a sazietà, e assiste anche a un piccolo spettacolo di marionette dove l'eroe si chiama Guignol, "sorta di setaiolo lui stesso, i cui lazzi beffardi e derisori nei suoi confronti non mancano tuttavia di deliziarlo con enorme divertimento..."

Atelier de soierie

⋀ Maison des canuts ⋁

Soierie Saint-Georges

Le musée des tissus et des arts décoratifs et monsieur Jacquard
The Museum of Fabrics and Decorative Arts, and Monsieur Jacquard
Il museo dei tessuti e delle arti decorative e il Signor Jacquard

Joseph-Marie Jacquard, né à Lyon en 1752, fils de soyeux, a révolutionné le travail de la soie en mettant au point, en 1800, son métier à tisser. Une autre grande figure lyonnaise est à l'origine du musée des Tissus de Lyon, dont la Chambre de commerce de Lyon souhaita, dès 1856, la création. Si un premier « musée d'art et d'industrie » fut ouvert au public en 1864 au palais de la Bourse, quelques années plus tard, en 1891, un musée historique des Tissus fut inauguré sous l'impulsion d'Édouard Aynard (1837-1913). Issu d'une grande famille de négociant drapier, banquier de son état, Aynard, fut aussi président de la Chambre de commerce de Lyon (1890-1898), homme politique puisque ce catholique libéral fut vice-président de la Chambre des députés (1898-1902). Les collections du musée durent être évacuées en 1939 mais au sortir de la guerre, il changea de cadre en s'installant, en 1950, rue de la Charité, dans l'hôtel construit par Claude Bertaud, voyer de la ville. Il comporte beaucoup de pièces réunies dès le XIXᵉ siècle, les fonds et dons des fabricants lyonnais en soierie (Tassinari, Chatel, Viennois, etc.) constituent l'une de ses richesses, illustrées par les commandes royales et impériales. Deux pôles président : l'Orient et l'Occident, le premier représenté par des tapisseries qui retracent l'évolution des civilisations orientales, le second avec les productions de Sicile et des républiques italiennes, relayées par l'essor artistique français. En 1925, dans l'hôtel de Lacroix-Laval, jouxtant ce musée, a été ouvert celui des Arts décoratifs. Il renferme des collections de particuliers (celles d'Amédée Gonin, de la famille lyonnaise Gillet), enrichies par de nombreuses acquisitions et l'adjonction, en 1995, d'un département consacré à l'orfèvrerie contemporaine.

Joseph-Marie Jacquard was born in Lyon in 1752. This son of a silk merchant revolutionized silk working by perfecting his loom, in 1800. Another great Lyon figure was behind the creation of Lyon's fabric museum, which the Lyon Chamber of Commerce had decided to build in 1856. Although a first Museum of Art and Industry was opened to the public in 1864 at Palais de la Bourse, it wasn't until 1891 that a Historic Museum of Fabrics was inaugurated at the behest of Édouard Aynard (1837-1913). Born into an important family of drapers, Aynard, a banker by trade, also served as President of the Lyon Chamber of Commerce (1890-1898) and Vice-President of the Lyon Chamber of Deputies (1898-1902), representing the Catholic Liberal Party. The museum's collections had to be evacuated in 1939 and after the Second World War, in 1950, it was moved to the mansion built by Claude Bertaud (the city's road surveyor) on Rue de la Charité. The museum houses a great many items which were gathered together beginning in the 19ᵗʰ century. Private collections and donations made by Lyon silk manufacturers, such as Tassinari, Chatel and Viennois, constitute one of the museum's treasures, as illustrated by the royal and imperial orders. The museum is divided into two geographically-based sections: East and West. The former is represented by tapestries tracing the evolution of the Eastern civilizations, while the latter consists of representative works from Sicily and the Italian republics, as well as France's subsequent artistic blossoming. In 1925, the Museum of Decorative Arts was opened just next door in the Hôtel de Lacroix-Laval. This museum houses private collections (those of Amédée Gonin, from Lyon's Gillet family), enriched by numerous acquisitions and the addition, in 1995, of a department dedicated to contemporary precious-metal arts.

Joseph-Marie Jacquard, nato a Lione nel 1752, figlio di setaioli, ha rivoluzionato il lavoro della seta mettendo a punto, nel 1800, il suo telaio. Un'altra grande figura lionese è all'origine del museo dei Tessuti di Lione, di cui la Camera di Commercio di Lione auspicava la creazione fin dal 1856. Se un primo "museo dell'arte e dell'industria" fu aperto al pubblico nel 1864 al palazzo della Borsa, qualche anno più tardi, nel 1891, fu inaugurato un museo storico dei Tessuti per iniziativa di Édouard Aynard (1837-1913). Proveniente da una grande famiglia di negozianti di tessuti di lana, banchiere di professione, Aynard fu anche presidente della Camera di Commercio di Lione (1890-1898) e uomo politico, in quanto questo cattolico liberale fu vicepresidente della Camera dei deputati (1898-1902). Le collezioni del museo dovettero essere evacuate nel 1939 ma, alla fine della guerra, cambiò ambientazione installandosi, nel 1950, in rue de la Charité, nell'hotel costruito da Claude Bertaud, responsabile della viabilità cittadina. Si tratta di molti pezzi raccolti a partire dal XIX secolo. I fondi e le donazioni dei fabbricanti lionesi di sete (Tassinari, Chatel, Viennois, ecc.) costituiscono una delle sue ricchezze, testimoniate dagli ordini reali e imperiali. Due poli sovrastano: l'Oriente e l'Occidente. Il primo è rappresentato da arazzi che ripercorrono l'evoluzione delle civiltà orientali, il secondo con le produzioni della Sicilia e delle repubbliche italiane, che poi hanno ceduto il passo al progresso artistico francese. Nel 1925, nell'albergo di Lacroix-Laval adiacente a questo museo, è stato aperto quello delle Arti decorative. Racchiude collezioni private (quelle di Amédée Gonin, della famiglia lionese Gillet), arricchite da numerosi acquisti e dall'aggiunta, nel 1995, di una sezione dedicata all'oreficeria contemporanea.

Le Palais du commerce
The Palais du Commerce
Il palazzo del commercio

Le sénateur-préfet Vaïsse, un jour de mai 1853, écrivit à l'architecte en chef de la ville René Dardel pour lui demander de construire un édifice qui regrouperait « la bourse proprement dite, le tribunal de commerce et la chambre de commerce ». En ces années du Second Empire où le capitalisme rayonnait, où le monde des affaires se consolidait à Lyon aussi (Henri Germain ne fondera-t-il pas, en 1863, le Crédit Lyonnais ?), il fallait un Palais du commerce digne de cette prospérité un peu tapageuse. Ainsi, en août 1860, Napoléon III, accompagné de l'impératrice Eugénie, devaient-ils procéder à l'inauguration de ce « Palais du commerce » en plein centre de la ville. Là où, parmi les fleurons des grands travaux du Haussmann lyonnais, le préfet Vaïsse, se perçait la rue Impériale, la belle artère centrale lyonnaise qu'un changement de régime devait transformer un peu plus tard en rue de la République. Définitivement achevé en 1862, le bâtiment s'inspirait du style Louis XIII mais avec une abondance de sculptures, notamment de Guillaume Bonnet, d'allégories figurant la Saône, le Rhône (l'œuvre du sculpteur Vermare, du côté des Cordeliers, datant de 1905, représente un homme musclé : le Rhône, emportant une femme consentante : la Saône) le commerce et les grandes places boursières européennes. La bourse lyonnaise n'est-elle pas justement la première bourse française, comme le rappelle une plaque indiquant sa date de naissance : 1464. La Chambre de commerce locale ne lui concédait qu'un peu plus de deux cents ans, créée en 1702 par lettres patentes signées de Sa Majesté Louis XIV…

In May 1853, Senator-Prefect Vaïsse commissioned the city's chief architect, René Dardel, to construct a building to house the Lyon Stock Exchange, the Commercial Court and the Chamber of Commerce. In these years of the Second Empire, capitalism reigned and the business world was consolidating its position in Lyon (illustrated by the founding of Crédit Lyonnais by Henri Germain in 1863); the city, therefore, needed a "business centre" worthy of this new, rather ostentatious prosperity. And so, in August 1860, Napoleon III and Empress Eugénie inaugurated the "Palais du Commerce" in the very heart of Lyon. Other large-scale redevelopment projects of Prefect Vaïsse, known as "Lyon's Haussmann," included the Rue Impériale: this beautiful thoroughfare through the centre of Lyon was renamed Rue de la République soon after its completion, following a change of government. Finally completed in 1862, the Palais du Commerce building was inspired by the Louis XIII style, but decorated with an abundance of sculptures (in particular, works by Guillaume Bonnet), allegoric representations of the Saône and the Rhône (Vermare's 1905 sculpture represents the Rhône as a muscular man carrying off a rather willing woman, the Saône), as well as commerce and Europe's great stock markets. The Lyon Stock Market was France's first, as commemorated by a plaque with its founding date: 1464. The city's Chamber of Commerce was founded a little over two centuries later, in 1702, by letters patent signed by King Louis XIV.

Un giorno di maggio 1853, il senatore-prefetto Vaïsse scrisse all'architetto capo della città René Dardel per chiedergli di costruire un edificio che doveva riunire "la borsa propriamente detta, il tribunale di commercio e la camera di commercio". In quegli anni del Secondo Impero in cui il capitalismo si diffondeva, il mondo degli affari si consolidava anche a Lione (Henri-Germain non fondò forse, nel 1863, il Credito Lionese?): occorreva un Palazzo del commercio degno di questa prosperità un po' vistosa. Così, nell'agosto del 1860, Napoleone III, accompagnato dall'imperatrice Eugenia, inaugurò questo "Palazzo del Commercio" in pieno centro della città. Là dove, tra le gemme dei grandi lavori dell'Haussmann lionese – il prefetto Vaïsse – si apriva la rue Impériale, la bella arteria centrale lionese che un cambiamento di regime doveva trasformare in seguito in rue de la République. Definitivamente terminato nel 1862, l'edificio si ispirava allo stile Luigi XIII ma con un'abbondanza di sculture, in particolare di Guillaume Bonnet, di allegorie raffiguranti la Saône, il Rodano (l'opera dello scultore Vermare, a lato dei Cordiglieri e datata 1905, rappresenta un uomo muscoloso – il Rodano – che regge una donna consenziente – la Saône) il commercio e le grandi piazze borsistiche europee. La borsa lionese è d'altronde la prima borsa francese, come ricorda una targa che riporta la sua data di nascita: 1464. La Camera di Commercio locale era più giovane di poco più di duecento anni, essendo stata creata nel 1702 con licenza firmata da Sua Maestà Luigi XIV…

L'automobile lyonnaise
The Lyon automobile
L'industria automobilistica lionese

Son activité n'est plus concentrée aujourd'hui que sur un nom : « Renault Trucks », implanté sur le site des usines Berliet. Mais, de la fin du XIXᵉ siècle à 1914, l'automobile lyonnaise a compté jusqu'à 116 constructeurs ! De manière artisanale, les pionniers débutent grâce à leurs connaissances en machines à vapeur : ils ont pour nom Serpollet, Buffaud et Robatel… Puis est venu le temps du moteur à explosion à essence et des premiers grands constructeurs : Maurice Audibert et Emile Lavirotte possèdent en 1893 un atelier d'une vingtaine d'ouvriers, à Lyon-Monplaisir. Leur premier modèle à moteur horizontal et transmission par courroie sort à cette époque. Dans le même temps, Édouard Rochet et Théodore Schneider se lancent dans l'aventure et en 1896 leur « bolide » (la « Rochet-Schneider ») grimpe avec succès… le col du Galibier (altitude 2 465 mètres). Car l'époque, et la proximité des Alpes, se prêtent à ce genre de démonstration, tout comme les compétitions, nombreuses au début du XXᵉ siècle, permettent aux Berliet, La Buire, Pilain, Luc Court, Mieusset, Cottin-Desgouttes, Barron-Vialle, etc. de tester leurs modèles et de les révéler au public. Cette industrie, en 1905, emploie 2 200 ouvriers et produit 900 voitures annuellement, ce qui fait écrire à un spécialiste parisien qu'il existe une « école lyonnaise d'automobile » : « Les automobiles Berliet sont lyonnaises, elles viennent de la contrée qui, écrit-il, en mécanique automobile, concurrence si hardiment Paris, et qui, bien mieux que Paris, est située pour donner le jour à d'infatigables routières… » La société fondée par Marius Berliet est celle qui va connaître le plus fort développement et une grande renommée, devenue ensuite, jusque dans les années 1975, le « roi du poids lourd ». Quant au musée Malartre, à Rochetaillée, il est, avec la fondation Berliet, la mémoire vivante de ces glorieuses années…

Today, Lyon's automotive industry is limited to a single manufacturer: Renault Trucks, located at the former Berliet factory site. However, from the late 19ᵗʰ century up until 1914, Lyon numbered no less than 116 automobile manufacturers! Lyon's early automotive pioneers, such as Serpollet, Buffaud and Robatel, relied on their knowledge of steam-powered machinery. However, the creation of the internal combustion engine saw the rise of the first big manufacturers: in 1893, Maurice Audibert and Emile Lavirotte owned a workshop with some twenty employees in Lyon's Monplaisir district. During this period, they launched their first model with a horizontal engine and belt transmission. Around the same time, Édouard Rochet and Théodore Schneider got in on the action and in 1896 their Rochet-Schneider racing car successfully climbed to the top of Galibier Pass (2,465 metres). Indeed, this era – as well as Lyon's proximity to the Alps – lent itself well to this kind of demonstration. Competitions were also popular in the beginning of the 20ᵗʰ century, allowing manufacturers such as Berliet, La Buire, Pilain, Luc Court, Mieusset, Cottin-Desgouttes and Barron-Vialle to test their vehicles and show them off to the public. In 1905, Lyon's automotive industry employed 2,200 workers and produced 900 cars annually, leading a Parisian specialist to write of the Lyon school of automobiles: "Berliet automobiles come from Lyon, the city which competes so fearlessly with Paris in the realm of automotive mechanics and which is much better situated to produce sturdy touring cars…" The company founded by Marius Berliet enjoyed the greatest growth and fame, becoming the "king of lorries" in the 1960s and '70s. The Malartre Museum in Rochetaillée north of Lyon and the Berliet Foundation represent the living memory of these glorious years.

La sua attività è concentrata oggi solo su un nome: "Renault Trucks", che sorge sul sito delle officine Berliet. Dalla fine del XIX secolo al 1914, però, l'industria automobilistica lionese contava fino a 116 costruttori! I pionieri debuttarono in modo artigianale grazie alla loro conoscenza delle macchine a vapore: i loro nomi sono Serpollet, Buffaud e Robatel.
Poi arrivò il tempo dei motori a scoppio a benzina e dei primi grandi costruttori: Maurice Audibert ed Emile Lavirotte erano proprietari nel 1893 di un'officina con una ventina di operai, a Lione-Monplaisir. Il loro primo modello a motore orizzontale e trasmissione a cinghia uscì in quell'epoca. Nello stesso tempo Édouard Rochet e Théodore Schneider si lanciarono nell'avventura e, nel 1896, il loro "bolide" (la « Rochet-Schneider ») scalò con successo… il colle del Galibier (2 465 metri di altezza). Poiché l'epoca e la prossimità delle Alpi si prestavano a questo genere di dimostrazioni, le competizioni, numerose all'inizio del XX secolo, permisero ai Berliet, La Buire, Pilain, Luc Court, Mieusset, Cottin-Desgouttes, Barron-Vialle, ecc. di collaudare i loro modelli e di mostrarli al pubblico. Questa industria impiegava nel 1905 2.200 operai producendo 900 vetture l'anno; cosa che fece scrivere a uno specialista parigino che esisteva una "scuola automobilistica lionese": "Le automobili Berliet sono lionesi, vengono dal paese che, nella meccanica automobilistica, fa una forte concorrenza a Parigi; e che è situata molto meglio di Parigi per dare vita ad automobili infaticabili…" La società fondata da Marius Berliet è quella che conosce il più grande sviluppo e una grande notorietà, diventando in seguito, fino agli anni 1960-1970, il "re dei mezzi pesanti". Quanto al museo Malartre, a Rochetaillée, insieme alla fondazione Berliet esso è la memoria vivente di quegli anni gloriosi…

La Cité internationale
The Cité Internationale
La Città internazionale

Ce site, implanté entre une boucle du Rhône et le parc de la Tête d'Or, jusqu'en 1984 a accueilli la foire de Lyon. Relancée en 1916 – en pleine guerre mondiale – par le maire Édouard Herriot, elle avait trouvé son siège dans ce Palais de la foire construit entre 1918 et 1928. Ce grand rendez-vous lyonnais transféré à « Eurexpo » (Chassieu), la reconversion des lieux s'opéra durant le mandat de quatre maires : Francisque Collomb, Michel Noir, Raymond Barre et Gérard Collomb avec le projet de construction d'une « Cité internationale » sous la direction de l'architecte Renzo Piano et du paysagiste Michel Corajoud. Cet ensemble, couronné par l'extension du Palais des Congrès avec la réalisation d'un auditorium de 3 000 places (l'Amphithéâtre), comprend bureaux, habitations, hôtels, restaurants, cinéma, casino, musée d'art contemporain, ainsi que le siège de l'organisation internationale de police criminelle, Interpol. Il correspond au vœu affiché il y a déjà quelques années de faire de Lyon une « capitale internationale », qui a d'ailleurs accueilli en juin 1996 la réunion au sommet des représentants des sept pays les plus industrialisés du monde (le « G 7 »). Cette Cité internationale, qui bénéficie d'une grande accessibilité (proximité de la gare TGV de la Part-Dieu et du périphérique qui s'ouvre sur le réseau autoroutier, facilité d'accès à l'aéroport de Lyon-Saint-Exupéry), s'est implantée dans un cadre naturel de qualité, avec l'aménagement des abords du parc de la Tête d'Or qui la borde et la création sur les berges du Rhône voisin d'une promenade piétonne et cycliste de plusieurs kilomètres.

Located between a bend of the Rhône River and the Tête d'Or Park, this site welcomed the Lyon Fair up until 1984. Revived in 1916, in the middle of the First World War, by the then mayor of Lyon, Édouard Herriot, the fair was held in the Palais de la Foire built between 1918 and 1928. With this great annual event finally transferred to Eurexpo (in Chassieu, east of Lyon), the site's redevelopment was pursued by no less than four mayors: Francisque Collomb, Michel Noir, Raymond Barre and Gérard Collomb, with the project for building an "International City" under the direction of the architect Renzo Piano and landscape architect Michel Corajoud. This new district, crowned by the extension of the Convention Centre with the construction of a 3,000-seat auditorium ("L'Amphithéâtre"), is made up of office and residential buildings, hotels, restaurants, a cinema, a casino and a contemorary art museum, as well as the headquarters of the international criminal police organisation, Interpol. It fulfils Lyon's longstanding desire to become an international capital; indeed, in 1996, it hosted the G7 summit of the world's seven most industrialized countries. Located near the Part-Dieu TGV railway station and Lyon's ring road (connecting to the motorway) and within easy reach of the Lyon-Saint-Exupéry Airport, the Cité Internationale enjoys excellent accessibility. It also boasts a beautiful, natural setting, with the neighbouring Tête d'Or Park and a recently landscaped river embankment with a foot and bike path of several kilometres running along the nearby Rhône.

Questo sito, compreso tra un'ansa del Rodano e il Parco della Tête d'Or, ha ospitato fino al 1984 la fiera di Lione. Rilanciata nel 1916 – in piena guerra mondiale – dal sindaco Édouard Herriot, aveva trovato la sua sede in questo Palazzo della fiera costruito tra il 1918 e il 1928. Dopo il trasferimento di questo grande appuntamento lionese a "Eurexpo" (Chassieu), la riconversione dei luoghi fu realizzata durante il mandato di quattro sindaci: Francisque Collomb, Michel Noir, Raymond Barre e Gérard Collomb con il progetto di costruzione di una "Città Internazionale" sotto la direzione dell'architetto Renzo Piano e del paesaggista Michel Corajoud. Questo insieme, coronato dall'ampliamento del Palazzo dei Congressi con la realizzazione di un auditorium di 3000 posti (l'Anfiteatro), comprende uffici, abitazioni, alberghi, ristoranti, cinema, casinò, museo d'arte contemporanea, e anche la sede dell'organizzazione internazionale di polizia criminale, l'Interpol. Soddisfa l'ambizione, espressa già alcuni anni fa, di fare di Lione una "capitale internazionale", che ha d'altronde ospitato nel giugno 1996 il vertice dei rappresentanti dei sette paesi più industrializzati del mondo (il "G7"). Questa Città internazionale che beneficia di un'eccellente accessibilità (in prossimità della stazione TGV della Part-Dieu e della tangenziale che comunica con la rete autostradale, facilità di accesso all'aeroporto di Lione-Saint-Exupéry), è inserita in un ambiente naturale di qualità, con la sistemazione degli accessi del parco della Tête d'Or che la costeggia e la creazione sulle sponde del vicino Rodano di una passeggiata pedonale e ciclistica di molti chilometri.

Gerland, du palais des sports au lycée international
Gerland, from the Sports Palace to the International School
Gerland, dal palazzo degli sport al liceo internazionale

Le quartier de Gerland, situé sur la rive gauche du Rhône, a constitué, de la fin du XIXe siècle jusqu'aux trois quarts du siècle suivant, une zone d'expansion industrielle. Après la mise à l'abri des inondations du fleuve et une implantation de petites industries de type artisanal, cette transformation, faisant progressivement décliner les activités agricoles du secteur, s'est opérée avec l'installation d'industries chimiques et alimentaires situées à proximité du Rhône qui s'enrichit de la construction, en plusieurs tranches, du port Edouard-Herriot. L'habitat s'est adapté, avec de nombreuses cités et logements ouvriers, mais à la fin du XXe siècle son visage s'est cependant profondément transformé. L'amorce avait été donnée lorsque le maire Louis Pradel, dans le cadre d'une candidature de sa ville aux Jeux olympiques, avait fait édifier, à proximité du stade de Gerland, un palais des Sports inauguré en 1962 et présenté comme le plus grand d'Europe. Hélas, les jeux de 1968 iront à Mexico mais, quelques années plus tard, Gerland est au centre de nouveaux projets, articulés autour de plusieurs pôles :
- Le quartier de l'École Normale Supérieure installée en 1987.
- Le parc scientifique Tony Garnier destiné à accueillir des entreprises de haute technologie à vocation scientifique et biotechnologique.
- La reconquête des berges du Rhône et l'aménagement du parc de Gerland.
- Le quartier du bassin de Plaisance, son parc de 5 ha et son aménagement portuaire.
Enfin la Cité Scolaire Internationale (2 000 élèves) présente sur ce site participe à cette ambition d'attractivité de la ville dont Gerland est l'une des clés.

Located on the left bank of the Rhône, the Gerland district was an area of industrial expansion from the late 19th century up until the 1970s. After the zone was protected from occasional flooding and following the set-up of small-scale industries, this transformation, which saw the sector's agricultural activities progressively decline, was completed with the installation of chemical and food industries located near the Rhône, which benefited from the construction of the Edouard-Herriot Port. Local housing adapted to these changes, with numerous housing estates and working-class homes springing up, but at the end of the 20th century, the district had been greatly transformed. This process began when the Mayor of Lyon, Louis Pradel, had a "sports palace" – presented as the largest in Europe – built next to the Gerland Stadium and inaugurated in 1962, as part of his city's bid to host the Olympic Games. Although the 1968 Games were eventually awarded to Mexico City, a few years later, Gerland found itself at the centre of a host of new urban development projects:
- The neighbourhood of the Ecole Normale Supérieure, established in 1987.
- The Tony Garnier science park, built to welcome leading-edge scientific and biotech companies.
- Reclaiming the banks of the Rhône and building the Gerland Park.
- The marina area, with its 5-hectare park and new port facilities.
Finally, the Cité Scolaire Internationale, with its 2,000 students, contributes to the city's overall attractiveness, to which Gerland is key.

Il quartiere di Gerland, posto sulla riva sinistra del Rodano, ha costituito dalla fine del XIX secolo fino ai tre quarti del secolo seguente una zona di espansione industriale. Dopo la messa in opera di protezioni contro le inondazioni del fiume e l'insediamento di piccole industrie di tipo artigianale, questa trasformazione accompagnata dal lento declino delle attività agricole del settore è avvenuta con l'insediamento di industrie chimiche e alimentari in prossimità del Rodano, che si arricchì della costruzione, in diversi lotti, del porto Edouard-Herriot. L'habitat si adattò con numerosi quartieri residenziali per gli operai, ma dalla fine del XX secolo il suo aspetto si è profondamente trasformato. Tutto iniziò quando il sindaco Louis Pradel, nell'ambito della candidatura della sua città ai Giochi Olimpici, aveva fatto erigere in prossimità dello stadio Gerland un palazzo degli Sport inaugurato nel 1962 e presentato come il più grande d'Europa. Purtroppo i giochi del 1968 furono assegnati al Messico; ma qualche anno più tardi Gerland si ritrovò al centro di nuovi progetti, articolati intorno a diversi poli:
- Il quartiere della Scuola Normale Superiore insediata nel 1987
- Il parco scientifico Tony Garnier destinato ad accogliere aziende ad alta tecnologia in campo scientifico e biotecnologico
- Il recupero delle rive del Rodano e la sistemazione del parco di Gerland
- Il quartiere del porto turistico, con il parco di 5 ettari e la sistemazione portuale.
La Città Scolastica Internazionale (2.000 allievi) presente sul sito, infine, contribuisce a questa ambizione di attrattiva urbanistica che ha in Gerland una delle chiavi.

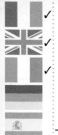

Les transports, métro, tramway, aéroport
Lyon's public transportation, metro, tramway and airport
I trasporti, metropolitana, tram, aeroporto

Le retour du tramway, des trolleybus électriques et des modes doux de transport marque une évolution dans le mode d'emploi des moyens de déplacement au service du public. En 2001, le tramway a fait son retour, avec l'entrée en fonction des deux premières lignes de l'agglomération lyonnaise, T1 et T2, conjuguant le réaménagement urbain, l'emploi de moyens de locomotion non polluant et le confort des utilisateurs. Une autre grande étape a été la mise en service, en 2006, de ce que les Lyonnais appelaient « la ligne du Chemin de Fer de l'Est » de Lyon, rebaptisée « Léa ». Mais l'inauguration par le président de la République Valéry Giscard d'Estaing, le 28 avril 1978, du métro a constitué, après des mois de travaux bouleversant la ville, une évolution importante pour ses habitants. Le réseau, trente ans plus tard, transporte 700 000 passagers par jour. L'ouverture toujours plus grande de Lyon sur l'extérieur, nécessitait, au niveau des transports aériens, des structures que l'aéroport de Lyon-Bron ne possédait pas face au développement du trafic. De nouvelles installations sont inaugurées en avril 1975 à Lyon-Satolas. L'aéroport accueille pour son premier anniversaire le supersonique « Concorde » et l'année suivante, en 1977, il atteint les deux millions de passagers. Un chiffre nettement dépassé depuis, puisqu'en 2007 7 320 000 passagers ont transité par ce qui est devenu, à l'occasion du centenaire de l'écrivain né à Lyon, « l'aéroport Saint-Exupéry ». Entre-temps, en 1994, a été inaugurée la gare T.G.V. – réalisée par l'architecte catalan Santiago Calatrava –, visible plusieurs kilomètres à la ronde puisqu'elle évoque un oiseau prenant son envol. Le « Train à Grande Vitesse » (T.G.V.), inauguré en septembre 1981, est en effet un atout supplémentaire pour Lyon, à la croisée des grands axes européens.

The return of the tramway, electric trolleybuses and other means of "soft transportation" mark an evolution in the city's conception of public transportation. In 2001, the tramway returned to Lyon, with the inauguration of the first two lines serving the Greater Lyon area. The new tramway system successfully combines urban redevelopment, non-polluting public transportation and user comfort. Another key event was the inauguration, in 2006, of what is locally referred to as "Lyon's eastern railway" or "Léa." Today's transit system entered the modern era with the inauguration of the city's metro, on 28 April 1978, by then President Valéry Giscard d'Estaing, ending laborious months of disruptive construction work. Three decades later, the system serves 700,000 users every day. With Lyon's growing openness to the outside world, the Lyon-Bron airport was soon saturated by the resulting increase in air traffic. A new airport, at Lyon-Satolas, was inaugurated in April 1975. For its one-year anniversary, the airport welcomed the supersonic Concorde airplane. In 1977, only two years after its inauguration, it had already served two million travellers – and this number has kept on growing: 7,320,000 air travellers in 2007 went through the airport, renamed Saint-Exupéry after the famous writer born in Lyon a hundred years earlier. In 1994, a TGV railway station, designed by renowned Catalan architect Santiago Calatrava, was inaugurated at the airport. The station, meant to resemble a bird taking flight, is visible from several kilometres in all directions. France's high-speed TGV train, inaugurated in 1981, is yet another important asset for Lyon, positioning it at the crossroads of Europe.

Il ritorno del tram, dei filobus elettrici e dei mezzi di trasporto a basso impatto ambientale segna un'evoluzione nel modo d'impiego dei mezzi di trasporto al servizio del pubblico. Nel 2001 il tram ha fatto il suo ritorno con l'entrata in funzione delle due prime linee dell'agglomerato urbano lionese, la T1 e la T2, che uniscono la risistemazione urbana, l'impiego di mezzi di locomozione non inquinanti e il comfort degli utenti. Un'altra tappa importante è stata l'entrata in servizio, nel 2006, di quella che i lionesi chiamavano « la linea ferroviaria dell'Est » di Lione, ribattezzata « Lea ». Ma l'inaugurazione della metropolitana il 28 aprile 1978, alla presenza del presidente della Repubblica Valéry Giscard d'Estaing, ha rappresentato per gli abitanti, dopo mesi di lavori che hanno sconvolto la città, un'evoluzione importante. Trent'anni più tardi, la rete trasporta 700.000 passeggeri ogni giorno. La sempre maggiore apertura di Lione verso l'esterno richiedeva, a livello di trasporti aerei, strutture per far fronte allo sviluppo del traffico che l'aeroporto di Lione-Bron non possedeva. Nell'aprile del 1975 sono state inaugurate nuove strutture a Lione-Satolas. In occasione del suo primo anniversario, l'aeroporto accolse il supersonico « Concorde » e, l'anno dopo, il 1977, raggiunse i due milioni di passeggeri. Una cifra nettamente superata in seguito, poiché nel 2007 7.320.000 passeggeri transitarono in quello che era diventato, in occasione del centenario dello scrittore nato a Lione, l'« Aeroporto Saint Exupéry ». Nel frattempo (1994) era stata inaugurata la stazione T.G.V. realizzata dall'architetto catalano Santiago Calatrava, visibile da diversi chilometri perché ricorda un uccello che prende il volo. Il « Treno a Grande Velocità » (T.G.V.), inaugurato nel settembre 1981, è in effetti un'altra carta vincente per Lione, al crocevia dei grandi nodi europei.

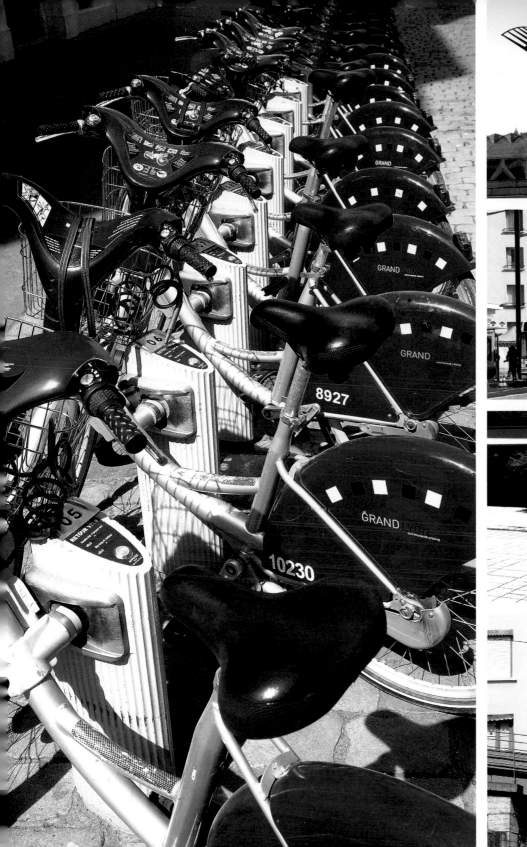

La peinture lyonnaise
Lyon's painters
La pittura lionese

Parmi les noms qui ont marqué la peinture à Lyon, en particulier au XVIIᵉ siècle, on retient celui de Jacques Stella (1596-1657), fils d'un peintre d'origine flamande, un des maîtres du classicisme français ou de Thomas Blanchet, qui réalisa notamment les décors de l'hôtel de ville (1655-1670). Mais au XIXᵉ siècle, ce que l'on a appelé « l'École lyonnaise », apparue sous la Restauration – quoique fortement décriée par Baudelaire qui traitait par ailleurs le Lyonnais Ernest Meissonier de « géant des nains » –, va révéler de nombreux artistes, dans des styles divers, jusqu'en 1914 : genre historique (Révoil, Richard), peinture de fleurs (Berjon, Thierriat, Saint-Jean, Castex-Dégrange), peinture de genre (Bonnefond, Genod), renouveau du grand décor religieux (Flandrin, Frenet), symbolisme (Puvis de Chavannnes, Séon), paysage (Allemand, Appian, Carrand, Ravier), ou encore le « véritable ancêtre de la peinture symbolique », Paul Chenavard… Au XXᵉ siècle un important groupe d'artistes, sous l'impulsion du critique d'art Marius Mermillon, fonde le groupe des « Ziniars » en 1920 (avec Pierre Combet-Descombes, Émile Didier, Louis Bouquet, Jacques Laplace, etc.). En sera issu le salon du Sud-Est (1925), dans cet élan qui exprime le désir de renouveau après la guerre de 14-18. Dans la période contemporaine, on relève aussi les noms des peintres René Maria Burlet, Jean Chevalier, au sein du groupe « Témoignage », ceux d'Henri Vieilly, Pierre Pelloux et Antoine Chartres pour le groupe des « Nouveaux », Jean Fusaro, André Cottavoz, Charrin, Truphémus pour les « Sansistes », et également, sans être exhaustif, Jean Couty et Evaristo…

Lyon's most important painters include Jacques Stella (1596-1657), the son of a Flemish painter and a master of French classicism, and Thomas Blanchet, particularly well known for his decoration of the town hall (1655-1670). Beginning in the 19th century, during the Restoration period, and continuing up until 1914, the so-called "Lyon school" – strongly disparaged at the time by Baudelaire, who referred to the Lyon artist Ernest Meissonier as a "giant among dwarves" – produced many great artists working in a wide variety of styles: the historic genre (Révoil, Richard), flower painting (Berjon, Thierriat, Saint-Jean, Castex-Dégrange), genre painting (Bonnefond, Genod), the revival of large-scale religious painting (Flandrin, Frenet), symbolism (Puvis de Chavannes, Séon and even symbolic painting's "true father," Paul Chenavard) and landscape painting (Allemand, Appian, Carrand, Ravier). In 1920, under the impetus of the influential art critic Marius Mermillon, an important group of artists was formed: the "Ziniars," which included among its ranks Pierre Combet-Descombes, Emile Didier, Louis Bouquet and Jacques Laplace. This group gave rise to the Salon du Sud-Est art exhibition (1925), expressing the period's strong desire for renewal following the First World War. The contemporary period gave us René Maria Burlet and Jean Chevalier (members of the "Témoignage" group), Henri Vieilly, Pierre Pelloux and Antoine Chartres (the "Nouveaux") and Jean Fusaro, André Cottavoz, Charrin and Truphémus (the "Sansistes"), as well as Jean Couty, Evaristo and many others.

Tra i nomi che hanno segnato la pittura a Lione, in particolare nel XVII secolo, si ricorda Jacques Stella (1596-1657), figlio di un pittore d'origine fiamminga, uno dei maestri del classicismo francese; o Thomas Blanche, che realizzò soprattutto le decorazioni del Municipio (1655-1670). Ma nel XIX secolo la cosiddetta « Scuola Lionese », nata sotto la Restaurazione – benché fortemente criticata da Baudelaire che trattava peraltro il lionese Ernest Meissonier di « gigante dei nani » – diede numerosi artisti dagli stili diversi fino al 1914: genere storico (Révoil, Richard), pittura floreale (Berjon, Thierriat, Saint-Jean, Castex-Dégrange), pittura di genere (Bonnefond, Genod), rinascita della grande decorazione religiosa (Flandrin, Frenet), simbolismo (Puvis de Chavannnes, Séon), paesaggi (Allemand, Appian, Carrand, Ravier), o ancora il « vero antenato della pittura simbolista », Paul Chenavard... Nel XX secolo, un importante gruppo di artisti sostenuti dal critico d'arte Marius Mermillon fondò nel 1920 il gruppo degli « Ziniars » (con Pierre Combet-Descombes, Emile Didier, Louis Bouquet, Jacques Laplace, ecc.). Questo gruppo diede origine al salone del Sud-Est (1925), con uno slancio che esprime il desiderio di rinnovamento dopo la guerra del 1914-18. Nel periodo contemporaneo si ricordano anche i nomi dei pittori René Maria Burlet e Jean Chevalier, appartenenti al gruppo « Témoignage », quelli di Henri Vieilly, Pierre Pelloux e Antoine Chartres per il gruppo dei « Nouveaux », Jean Fusaro, André Cottavoz, Charrin, Truphémus per i « Sansistes », e anche ma l'elenco potrebbe continuare – Jean Couty e Evaristo…

Paul Chenavard, 1807-1895

Marcel Roux, 1878-1922

Jean-Michel Grobon, 1770-1853

Jaean-Hippolyte Flandrin, 1809-1864

Anonyme – Musée Gadagne

Louis-Edouard Fournier, 1857-1917

Claude-André Reverchon

Claudius Jacquand, 1803-1878

Francisque Pomat, 1874-1944

Antoine Flachat

Laurent-Hippolyte Leymarie, 1809-1844

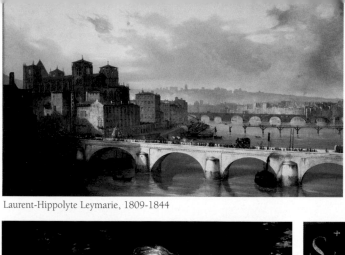

Jean Seignemartin, 1848-1875

Cassius-Vignon

Auguste Jean-Baptiste Paquier-Sarrasin

Anonyme – Musée Gadagne

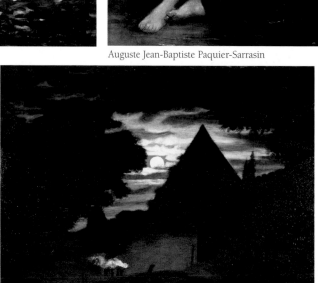

Joseph-François Vernay, 1821-1896

Jean-Baptiste Frénet, 1814-1889

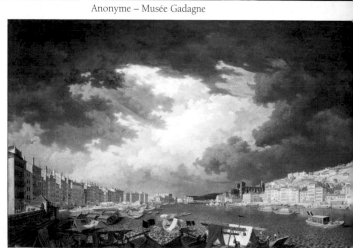

Charles-François Nivard, 1739-1821

Louis-Hilaire Carrand, 1821-1899

Charles Lacour, 1861-1941

Régis Bernard, 1932

Eugène Brouillard, 1870-1950

René Chancrin, 1911-1981

∧ Pierre Combet-Descombes, 1885-1966

∨ Jean Couty, 1907-1991

Joannès Veimberg, 1918-1982

François-Auguste Ravier, 1814-1895   ∨ Léopold Poncet

Le palais Saint-Pierre, musée des Beaux-Arts
Palais Saint Pierre, the Museum of Fine Arts
Il Palazzo Saint-Pierre, museo delle Belle Arti

Au début était une abbaye de Bénédictines, fondée vers le VIe siècle. Elle fut reconstruite dès le XIIe siècle puis au XVIIe, de 1659 à 1686, bien après le passage dévastateur des Huguenots, sur injonction de l'abbesse Anne de Chaulnes, grâce à l'architecte Royer de La Valfenière, auteur de la façade de la nouvelle abbaye dans un style baroque italien. Un grand quadrilatère entoure un cloître, refait au XIXe siècle, et un jardin intérieur dont le charme séduit toujours les visiteurs. Chassées par la Révolution de 1789, les bénédictines se dispersèrent et le monastère revint à la ville. Le décret Chaptal de 1801, instituant des collections de peinture dans quinze villes de France, signe l'acte fondateur du musée de Lyon et dès 1803 le Louvre transfert une centaine de tableaux. Le XIXe siècle est riche de nouvelles acquisitions et bénéficie de l'émergence de l'école lyonnaise de peinture. Les architectes Dardel, Hirsch participent à des travaux dans le bâtiment, le jardin et le cloître. Puvis de Chavannes décore l'escalier monumental. Les musées de peinture, d'épigraphie, d'archéologie et d'histoire naturelle cohabitent encore avec la Bourse, la Chambre de commerce, l'École des Beaux-Arts, la bibliothèque de la Ville et des sociétés savantes. Au XXe siècle, le musée acquiert sa spécificité. Il regroupe des sections égyptiennes, grecques, romaines, médiévales, des collections d'art décoratif, une grande salle de sculpture, située dans l'ancienne église du XVIIe siècle, et des tableaux de tous les styles, des primitifs aux impressionnistes. Profondément rénové de 1990 à 1998, ses 8 000 antiquités, 3 000 objets d'art, 40 000 monnaies et médailles, 2 500 peintures, 8 000 œuvres sur papiers et 1 300 sculptures font du musée de Lyon un des plus grands musées français et d'Europe.

Palais Saint Pierre was originally a Benedictine abbey, founded in the 6th century. The abbey was reconstructed a first time in the 12th century and again in the 17th century, from 1659 to 1686, at the behest of Abbess Anne de Chaulnes, many years following its destruction by the Huguenots. The new abbey's Italian-baroque façade was designed by the architect Royer de la Valfenière. A large quadrilateral surrounds a cloister (reconstructed during the 19th century) and a charming interior garden. The Benedictines were driven away by the French Revolution of 1789 and ownership of the empty abbey passed to the city. The Chaptal Decree of 1801, which established painting collections in fifteen cities throughout France, gave birth to the Lyon museum, which received some 100 paintings from the Louvre as early as 1803. The museum greatly extended its collection during the 19th century, during which it also benefitted from the emergence of the "Lyon school" of painting. The architects Dardel and Hirsch worked on the main building, as well as the garden and cloister. Puvis de Chavannes decorated the monumental staircase. The museums of painting, epigraphy, archaeology and natural history cohabit with the Lyon Stock Exchange, Chamber of Commerce and School of Fine Arts, as well as the municipal library and learned societies. The museum acquired its specificity during the 20th century. Today, it houses Egyptian, Greek, Roman and medieval sections, as well as decorative art collections, a large sculpture room (located in the former 17th century church) and paintings in a wide variety of styles, from primitive to impressionist works. Completely renovated from 1990 to 1998, its 8,000 antiques, 3,000 works of art, 40,000 coins and medals, 2,500 paintings, 8,000 works on paper and 1,300 sculptures make the Lyon Fine Arts Museum one of the greatest museums not only in France, but in all of Europe.

All'inizio era un'abbazia benedettina, fondata intorno al VI secolo. Fu ricostruita a partire dal XII secolo, poi nel XVII secolo, dal 1659 al 1686, molto tempo dopo il passaggio devastatore degli Ugonotti, su ingiunzione della badessa Anne de Chaulnes e grazie all'architetto Royer de La Valfenière, autore della facciata della nuova abbazia in stile barocco italiano. Un gran quadrilatero circonda un chiostro, rifatto nel XIX secolo, e un giardino interno che affascina sempre i visitatori. Scacciate dalla Rivoluzione del 1789, le benedettine si dispersero e il monastero ritornò alla città. Il decreto Chaptal del 1801, che istituiva collezioni di dipinti in quindici città francesi, rappresentò l'atto fondatore del museo di Lione e il Louvre vi trasferì dal 1803 un centinaio di quadri. Il XIX secolo fu ricco di nuove acquisizioni e beneficiò della nascita della scuola lionese di pittura. Gli architetti Dardel e Hirsch parteciparono ai lavori nell'edificio, nel giardino e nel chiostro. Puivis de Chavannes decorò lo scalone monumentale. I musei di pittura, d'epigrafia, d'archeologia e di storia naturale coabitano ancora con la Borsa, la Camera di Commercio, la Scuola delle Belle Arti, la biblioteca cittadina e alcune associazioni scientifiche. Nel XX secolo il museo acquisì la sua specificità, raccogliendo sezioni egizie, greche, romane, medievali, collezioni d'arte decorativa, una grande sala dedicata alla scultura e situata nella vecchia chiesa del XVII secolo, e quadri di tutti gli stili, dai primitivi agli impressionisti. Profondamente rinnovato dal 1990 al 1998, con 8.000 reperti archeologici, 3.000 oggetti d'arte, 40.000 monete e medaglie, 2.500 dipinti, 8.000 opere su carta e 1.300 sculture, il museo di Lione è uno dei più grandi musei francesi e d'Europa.

Pierre Puvis de Chavannes, 1824-1898
Louis Janmot, 1814-1892

Louis Janmot, 1814-1892
Pierre Puvis de Chavannes, 1824-1898

L'opéra
The Opera House
L'Opera

Histoire mouvementée que celle du « Grand-Théâtre », autre nom donné à l'opéra de Lyon. Après les premières installations d'une salle de spectacle dans un jeu de paume en 1688, en 1722 le théâtre construit par le maréchal de Villeroy brûla. En 1755, grâce à Germain Soufflot et avec l'aide de Michel Perrache et d'Antoine Morand, un « Grand-Théâtre de Lyon » fut inauguré en 1756 et l'on joua en la circonstance « Britannicus » de Racine. S'il échappa aux tribulations de la Révolution, le bâtiment, au début du XIXe siècle, menaçait ruines. Ce fut finalement en juillet 1831 que les architectes Chenavard et Pollet virent l'aboutissement de leurs efforts sur le site de l'actuelle place de la Comédie. Un autre architecte, René Dardel, apporta sa touche personnelle quelques années plus tard, portant à 2 700 spectateurs la capacité de ce « Grand-Théâtre » qui conserva sa physionomie jusqu'à la fin du XXe siècle. À cette date, on voulut donner un nouveau souffle au temple de l'art lyrique et l'architecte Jean Nouvel fut chargé de cette mission. L'inauguration, en mai 1993, d'une structure qui conservait les murs dus à Chenavard, ainsi que les muses, mais leur adjoignait un grand dôme de verre, ne manqua pas de surprendre les Lyonnais, tout comme les aménagements intérieurs de la salle (d'une capacité d'environ 1 200 places). Mais Jean Nouvel ayant établi un « dialogue entre histoire et modernité », l'opéra de Lyon fait aujourd'hui partie du patrimoine architectural international.

Lyon's Opera House, also known as the "Grand Théâtre", has had a turbulent history. In 1688, a royal tennis court was converted into the original theatre. The later building by Marshal of Villeroy burnt down in 1722. In 1755, thanks to Germain Soufflot, and with the help of Michel Perrache and Antoine Morand, Lyon's Grand Théâtre was finally inaugurated, with Racine's "Britannicus" being played for the occasion. While it managed to survive the French Revolution, the building was in danger of falling into ruin in the early 19th century. Finally, in July 1831, the architects Chenavard and Pollet completed their version of Lyon's opera house, located at today's Place de la Comédie. Another architect, René Dardel, lent his personal touch a few years later, bringing the theatre's seating capacity up to 2,700 spectators. This Grand Théâtre remained unchanged until the end of the 20th century, at which time Lyon commissioned the architect Jean Nouvel to breathe new life into its opera house. In May 1993, the current Grand Théâtre was inaugurated: Nouvel had chosen to retain Chenavard's walls, as well as the statues of the muses, but pleasantly surprised Lyon's residents with the addition of a large, glass dome. The theatre's interior was also redesigned (for a current capacity of around 1,200). Jean Nouvel had established a "dialogue between history and modernity," and today's opera house is a jewel of Lyon's architectural heritage.

Quella del « Grande Teatro », altro nome dato all'Opera di Lione, è una storia movimentata. Dopo i primi allestimenti di una sala per gli spettacoli in un salone per il gioco della pallacorda nel 1688, il teatro costruito dal Maresciallo di Villeroy bruciò nel 1722. Nel 1755-1756, grazie a Germain Soufflot aiutato da Michel Perrache e Antoine Morand, fu inaugurato un « Grande Teatro di Lione » e si rappresentò in quella circostanza il « Britannicus » di Racine. Pur essendo scampato alle tribolazioni della Rivoluzione, all'inizio del XIX secolo l'edificio minacciava di cadere in rovina. Finalmente, nel luglio del 1831, gli architetti Chenavard e Pollet videro il risultato dei loro sforzi sul luogo dell'attuale Place de la Comédie (piazza della Commedia). Un altro architetto, René Dardel, apportò il suo tocco personale qualche anno più tardi, portando a 2.700 posti la capacità di questo « Grande Teatro » che conservò la sua fisionomia fino alla fine del XX secolo. In questa data si volle dare un nuovo respiro al tempio dell'arte lirica e l'architetto Jean Nouvel fu incaricato della missione. La nuova struttura inaugurata nel maggio 1993 conservava i muri dovuti a Chenavard e le muse, ma vi aggiungeva una grande cupola di vetro che, con le modifiche interne apportate alla sala capace di circa 1.200 posti, non mancò di sorprendere i lionesi. Ma Jean Nouvel aveva stabilito un « dialogo tra storia e modernità », perciò oggi l'Opera di Lione fa parte del patrimonio architettonico internazionale.

Le théâtre des Célestins
Célestins Theatre
Il teatro dei Celestini

Ce site conserve la trace des Templiers qui possédaient l'emplacement actuel mais qui furent dépossédés après la dissolution de l'ordre en 1312, leurs biens étant transférés aux frères hospitaliers de Saint Jean de Jérusalem. Mais l'origine de la dénomination provient de la fondation au XIIIe siècle de l'ordre des Célestins par un religieux napolitain, Pierre de Mouron, qui obtient du pape l'ouverture d'un monastère à Lyon, les moines s'y installant en 1407. Mais il faudra attendre la réforme des ordres monastiques en 1778 qui entraîne la fermeture du couvent pour voir construire sur cet espace, en 1792, un « Théâtre des Variétés ». Hélas, le sort s'acharne sur ce qui devient le théâtre des Célestins : détruit par un incendie en 1871, réouvert en 1877 après les travaux conduits par l'architecte Gaspard André, il brûle de nouveau en 1880 ! Gaspard André le restaure et c'est en 1881 un des plus beaux théâtres à l'italienne de province qui voit le jour. De prestigieux directeurs se succèdent : Charles Montcharmont (de 1906 à 1941) qui en fit un centre dramatique de haut niveau, Charles Gantillon (jusqu'en 1968), Albert Husson (jusqu'en 1978) Jean Meyer et Jean-Paul Lucet avant la nomination, en mars 2000, de Claudia Stavisky. Quant au bâtiment, inscrit en mars 1997 à l'inventaire supplémentaire des monuments historiques, bénéficiant d'un important programme de travaux voté en 2001, « il a conservé toute la majesté de son architecture d'origine : le foyer du public, les vastes escaliers, le vestibule et sa coupole, la salle et les galeries qui l'entourent en font un bel exemple de théâtre à l'italienne ». Le théâtre des Célestins « poursuit sa mission de conservation du répertoire et de lieu de création ».

This site still retains traces left by the Knights Templar, who controlled the current location until the dissolution of their order in 1312 and the forced handover of their property to the Knights Hospitaller of Saint John of Jerusalem. The abbey is named after the founding in the 13th century of the Celestine branch of the Benedictine monastic order by a Neapolitan, Pierre de Mouron, who obtained from the Pope permission to open a monastery in Lyon, to which the Celestines moved in 1407. The 1778 reformation of the monastic orders led to the closing of the monastery and the building on this same site, in 1792, of a "Théâtre des Variétés" or "Variety Hall." Unfortunately, fate seemed against what would eventually become the Théâtre des Célestins: destroyed by a fire in 1871 and reopened in 1877 after reconstruction work carried out by the architect Gaspard André, the theatre was once again damaged by fire in 1880! The building was restored by Gaspard André and in 1881, one of France's most beautiful Italian-style theatres was opened to the public. There followed a long succession of prestigious directors: Charles Montcharmont (1906 to 1941), who raised the theatre to the highest level, Charles Gantillon (until 1968), Albert Husson (until 1978), Jean Meyer, Jean-Paul Lucet and, in 2000, the theatre's current director, Claudia Stavisky. In March 1997, the building was listed a historic monument and benefitted from important renovation work in 2001, allowing it to retain all the majesty of its original architecture: the lobby, the vast staircases, the domed vestibule, the theatre proper and the surrounding galleries which make it such a beautiful example of an Italian-style theatre. Célestins Theatre continues to pursue its two-fold mission of repertoire conservation and creation.

Questo sito conserva traccia dei Templari che possedevano la zona attuale ma che ne furono espropriati dopo lo scioglimento dell'ordine nel 1312 e il trasferimento dei loro beni ai frati ospedalieri di San Giovanni di Gerusalemme. L'origine della denominazione deriva però dalla fondazione, nel XIII secolo, dell'ordine dei Celestini da parte del religioso napoletano Pierre de Mouron, che ottenne dal papa l'apertura di un monastero a Lione, dove i monaci si installarono nel 1407. Si dovrà però attendere la riforma degli ordini monastici nel 1778, che comportò la chiusura del convento, per veder costruire su quest'area, nel 1792, un « Teatro di Varietà ». Purtroppo la sorte si accanì su quello che divenne il teatro dei Celestini: distrutto da un incendio nel 1871, riaperto nel 1877 dopo i lavori condotti dall'architetto Gaspard André, bruciò nuovamente nel 1880! Gaspard André lo restaurò e nel 1881 vide la luce uno dei più bei teatri all'italiana. Si susseguirono prestigiosi direttori: Charles Montcharmont (dal 1906 al 1941) che ne fece un centro drammatico di alto livello, Charles Gantillon (fino al 1968), Albert Husson (fino al 1978) Jean Meyer e Jean-Paul Lucet prima della nomina, nel marzo 2000, di Claudia Stavisky. L'edificio, iscritto nel marzo 1997 nell'inventario supplementare dei monumenti storici beneficiando di un importante programma di lavori approvato nel 2001, « ha conservato tutta la maestosità della sua architettura originaria: l'atrio del pubblico, le ampie scalinate, il vestibolo con la sua cupola, la platea e le gallerie che la circondano ne fanno un bell'esempio di teatro all'italiana ». Il teatro dei Celestini « persegue la sua missione di conservazione del repertorio e di luogo di creatività ».

Les murs peints de Lyon
Lyon's murals
I muri dipinti di Lione

La période contemporaine n'exclut pas la création et à ce titre, il est vrai, la ville bénéficie déjà d'un passé riche en expériences de toute nature, y compris artistiques. Il n'est de ce fait pas vraiment surprenant d'observer comme une spécificité lyonnaise les fresques murales qui ornent plusieurs quartiers de Lyon grâce au talent, depuis plus de vingt ans, des artistes peintres de la Cité de la Création qui ont, sur de nombreux thèmes, instauré des galeries à ciel ouvert. Quel beau trompe-l'œil que le Mur des Canuts à la Croix-Rousse, quelle belle illustration des personnages célèbres du cru (vingt-quatre, hommes et femmes) sur cette fresque des Lyonnais, à l'angle du quai Saint-Vincent et de la rue de la Martinière et non loin, quai de la Pêcherie, de la Bibliothèque de la Cité où « les livres sont des personnages ». Parts d'histoire(s) (la route de la Soie à la Croix-Rousse, les transports en commun avenue Lacassagne, la fresque de Montluc, etc.), de décors imaginaires ou futuristes (dans le 8e arrondissement avec les « Cités idéales »), de paysages urbains (les fresques du musée urbain Tony Garnier), cet hommage rendu au patrimoine lyonnais a inspiré et essaimé au-delà des murs de la ville, et cette entreprise pionnière s'est exportée, comme à Barcelone, Leipzig ou encore à Québec.

Creativity certainly hasn't slowed in the modern era; indeed, the city of Lyon already boasts a recent past rich in all sorts of experiences, artistic included. One of the more surprising local specialities is Lyon's modern murals adorning several of the city's neighbourhoods, thanks to the talent – for over two decades now – of the painters of the "Cité de la Creation" who have created open-air works centred around a variety of themes. What a beautiful trompe-l'œil on the Mur des Canuts ("Silk Workers' Wall") in the Croix-Rousse district and what a wonderful representation of famous Lyon figures (24 men and women) in the fresco on the corner of Quai Saint-Vincent and Rue de la Martinière, not to mention the monumental Authors fresco (Quai Pêcherie) filled with the books of local writers. Slices of history (the Croix Rousse's "Silk Route," public transportation on Avenue Lacassagne, the Montluc fresco, etc.), imaginary or futuristic décors (the "Ideal Cities" in the 8th district), urban landscapes (the frescos of the Tony Garnier Urban Museum), and more. This unique homage to Lyon's rich historical and cultural heritage has inspired similar works in other cities, such as Barcelona, Leipzig and Quebec.

Il periodo contemporaneo non esclude la creatività e a questo proposito, in effetti, la città beneficia già di un passato ricco di esperienze di ogni tipo, comprese quelle artistiche. Non è quindi sorprendente osservare, quale caratteristica lionese, i muri affrescati che ornano da oltre vent'anni diversi quartieri di Lione, grazie al talento di artisti pittori della Città della Creatività che hanno realizzato gallerie a cielo aperto su numerosi temi. Come è bello il trompe-l'œil sul Muro dei Setaioli alla Croix-Rousse, come è bella l'illustrazione dei personaggi celebri locali (ventiquattro, tra uomini e donne) in questo affresco dei lionesi posto all'angolo tra Quai Saint-Vincent e Rue de la Martinière; e non lontano, in Quai de la Pêcherie, della Biblioteca della Città dove « i libri sono dei personaggi ». Parti di storia (la via della Seta alla Croix-Rousse, i trasporti in comune in Avenue Lacassagne, l'affresco di Montluc, ecc.) decorazioni immaginarie o futuristiche (nell'ottava circoscrizione con le « Città Ideali »), paesaggi urbani (l'affresco del museo urbano di Tony Garnier): questo omaggio al patrimonio lionese ha ispirato e oltrepassato le mura della città, e questa impresa pioneristica è stata esportata a Barcellona, Lipsia e nel Québec.

La fresque de Shangaï, © Cité Création

Les frères Lumière © Yellow Design

Hommage à Diego Rivera © Cité Création

ᐱ Le mur des Lyonnais © Cité Création

ᐯ La fresque du Demi Millénaire, © George Faure et « Les Éléphants Heureux »

Depuis la fondation, en 1905, de la « Société des Grands Concerts de Lyon » par Georges Martin Witkowski, la salle Rameau, inaugurée trois ans plus tard, va se révéler au fil des ans trop exiguë et mal adaptée. « Patience et longueur de temps, font plus que force ni que rage… », dit-on, en tout cas c'est… en 1971 que la municipalité lyonnaise décida de doter Lyon d'une salle de concert digne d'une grande métropole. La conception de l'édifice, que l'on décida d'implanter dans le nouveau quartier de la Part-Dieu, fut confiée à l'architecte parisien Henri Pottier, grand prix de Rome, à Charles Delfante, l'architecte de la Courly et à l'acousticien Confury. Ce fut donc une grande satisfaction pour les mélomanes et l'adjoint lyonnais aux Beaux-Arts, Robert Proton de la Chapelle, lorsqu'en février 1975, l'auditorium Maurice-Ravel fut déclaré bon pour le service. Serge Baudo et l'orchestre de Lyon le testèrent lors de l'inauguration qui eut lieu ce même mois, dans ce vaste vaisseau, dont la voûte de soixante-dix mètres de portée abrite sur trois plans quelque 2100 places. La formation musicale – orchestre permanent de 102 musiciens –, qui joue en ces lieux, devenue « l'Orchestre national de Lyon » (ONL) en 1984, ne cesse de gravir les échelons de la renommée, obtenant la même année le premier disque d'or du monde classique pour le « Boléro » sous la direction de Serge Baudo. Succéderont à ce dernier de grands chefs comme Emmanuel Krivine, David Robertson et Jun Märkl qui lui permettent, notamment lors de tournées à l'étranger, de se hisser parmi les meilleures phalanges internationales.

Since the founding of the "Lyon Society of Great Concerts" by Georges Martin Witkowski in 1905, the Rameau Concert Hall, inaugurated three years later, proved to be too cramped and poorly suited to such performances. It is said that "patience and time are more powerful than either strength or rage"... In any case, it wasn't until 1971 that the City of Lyon finally decided to provide itself with a concert hall worthy of a major city. The design of the building, located in the new Part-Dieu district, was entrusted to the Parisian architect Henri Pottier (Grand Prix de Rome), to Charles Delfante (architect for the Greater Lyon urban community) and to the acoustician Confury. In February 1975, the Maurice-Ravel Auditorium opened its doors to the great satisfaction of music lovers and Lyon's Deputy Mayor for the Fine Arts, Robert Proton de la Chapelle. Serge Baudo and the Lyon Symphony Orchestra kicked off the auditorium's inauguration that same month, in this vast nave whose 70-metre-high vault rises above three tiers of some 2,100 seats. The auditorium's permanent orchestra of 102 musicians, which officially became the National Orchestra of Lyon (ONL) in 1984, continued to gain fame, obtaining that same year classical music's very first gold record for its Boléro under the direction of Serge Baudo. Other great conductors, such as Emmanuel Krivine, David Robertson and Jun Märkl, would succeed Baudo, allowing the ONL – especially during its tours abroad – to emerge as one of the world's greatest symphony orchestras.

Dalla fondazione della « Società dei Grandi Concerti di Lione » nel 1905, da parte di Georges Martin Witkowski, la Sala Rameau, inaugurata tre anni più tardi, si rivelò nel corso del tempo troppo piccola e inadatta. Ma, come si dice, « Pazienza e tempo che passa, fanno più forza che rabbia… » e nel 1971 la municipalità lionese decise di dare a Lione una sala di concerti degna di una grande metropoli. La progettazione dell'edificio, che si decise di erigere nel nuovo quartiere di Part-Dieu, fu assegnata all'architetto parigino Henri Pottier, gran premio a Roma, a Charles Delfante, l'architetto della Courly e allo specialista di acustica Confury. Fu quindi una grande soddisfazione per i melomani e per l'assessore lionese alle Belle Arti, Robert Proton de la Chapelle, quando, nel febbraio 1975, l'auditorium Maurice Ravel fu dichiarato idoneo. Serge Baudo e l'orchestra di Lione lo provarono in occasione dell'inaugurazione che avvenne quello stesso mese, in questa ampia navata dalla volta con una luce di settanta metri che ospita su tre piani circa 2.100 posti. La formazione musicale – orchestra permanente di 102 musicisti – che suona in questa sala, diventata nel 1984 « l'Orchestra Nazionale di Lione » (ONL), continua a percorrere le tappe della notorietà, ottenendo in quello stesso anno il primo disco d'oro del mondo classico per il « Bolero » sotto la direzione di Serge Baudo. Dopo Baudo arrivarono grandi direttori come Emmanuel Krivine, David Robertson e Jun Märkl, che permisero all'orchestra, soprattutto in occasione delle rappresentazioni all'estero, di elevarsi tra i migliori complessi internazionali.

La Biennale de la Danse
The Biennial Dance Festival
La Biennale della Danza

La première édition a eu lieu en 1984, grâce à Guy Darmet qui, en 1980, a créé à Lyon une « Maison de la Danse ». Depuis, en alternance avec la Biennale de l'Art contemporain, son succès ne se dément pas et elle demeure un rendez-vous de septembre de niveau international, avec un grand défilé et un festival de rues qui font danser la ville. Les thématiques choisies indiquent d'ailleurs un large éventail de représentations, passant du classique au contemporain et ne connaissant pas de frontières. 1990 : l'histoire américaine, 1992 : l'Espagne, 1994 : de l'Afrique à Harlem, 1996 : le Brésil, 1998 : le bassin méditerranéen, 2000 : l'Asie, 2002 : les terres latines, 2004 : l'Europe… Un succès populaire qui réunit des milliers d'acteurs et de spectateurs. Ainsi, en 2008, environ 4 500 participants doivent composer le défilé, avec 15 créations mondiales, 6 nouvelles versions de pièces majeures, 54 spectacles du répertoire contemporain, 42 compagnies venant de 19 pays soit 600 artistes. Près de 85 000 spectateurs sont attendus sur un peu plus de trois semaines, à travers onze communes. Il s'agit là « d'une formidable histoire, explique Guy Darmet, issue d'un rêve et d'une volonté de casser l'image élitiste de la danse et de lui rendre sa juste place, celle d'un art populaire ».

The first edition was held in 1984, thanks to Guy Darmet who, in 1980, created a "Maison de la Danse" or "House of Dance" in Lyon. The festival has been a huge success ever since, alternating with Lyon's Biennial Contemporary Art Festival, and remains an important September event on the international calendar, with a parade and a street festival that energize the entire city. In addition, the chosen themes represent a wide variety of styles, from classical to contemporary and from all corners of the world. 1990: "American History", 1992: "Spain", 1994: "From Africa to Harlem", 1996: "Brazil", 1998: "The Mediterranean Basin", 2000: "Asia", 2002: "The Latin Countries", 2004: "Europe"… A popular success that every two years gathers together thousands of performers and spectators. Some 4,500 participants will march, or dance, in the 2008 parade. The festival will welcome 15 international creations, 6 new versions of major works, 54 contemporary dance pieces and 600 artists in 42 dance companies from 19 countries. Nearly 85,000 spectators are expected over a period of just over three weeks, spread throughout 11 towns of the urban area. In the words of Guy Darmet, the festival represents "a fantastic success story, resulting from a dream and a desire to break with dance's elitist image in order to restore its rightful place as a popular art form."

La prima edizione si tenne nel 1984 grazie a Guy Darmet che, nel 1980, creò a Lione una « Casa della Danza ». Da allora, in alternanza con la Biennale di Arte contemporanea, il suo successo non si è più smentito e questa manifestazione rimane un appuntamento di settembre a livello internazionale, con una grande sfilata e un festival nelle strade che fanno danzare la città. Le tematiche scelte indicano peraltro un ampio ventaglio di rappresentazioni che vanno dal classico al contemporaneo e non conoscono frontiere. Nel 1990: la storia americana, 1992: la Spagna, 1994: dall'Africa ad Harlem, 1996 : il Brasile, 1998: il bacino mediterraneo, 2000: l'Asia, 2002:le terre latine, 2004: l'Europa… Un successo popolare che riunisce migliaia di attori e di spettatori. Così, nel 2008, la sfilata dovrà comprendere circa 4.500 partecipanti, con 15 creazioni mondiali, 6 nuove versioni di pièce celebri, 54 spettacoli del repertorio contemporaneo, 42 compagnie provenienti da 19 paesi, ovvero 600 artisti. Si prevedono circa 85.000 spettatori in poco più di tre settimane, in 11 sale. Si tratta « di una storia formidabile – spiega Guy Darmet – nata da un sogno e dalla volontà di smentire l'immagine elitaria della danza, restituendola alla sua vera dimensione, quella di arte popolare ».

Le cinéma et les frères Lumière, le musée Lumière
Cinema, the Lumière brothers and the Lumière Museum
Il cinema e i fratelli Lumière, il museo Lumière

Il y avait Antoine, le père, Auguste et Louis, les deux fils. Les Lumière ont à jamais associé leur nom à une découverte capitale de la fin du XIXᵉ siècle : le cinématographe. Dans leur usine de Lyon-Monplaisir, dès 1894, les deux frères passent des heures entières, dans le plus grand secret, ce qui intrigue leur entourage, à la mise au point d'un appareil destiné à projeter des photographies… en mouvement. Première représentation, privée, à Paris, le 22 mars 1895, à la Société d'Encouragement pour l'Industrie nationale, rue de Rennes. Un grand succès. Une nouvelle projection, à Lyon, pour le Congrès des Sociétés françaises de photographie où une foule médusée et enthousiaste assiste au déroulement de « la vie intense, prise sur le fait ». Il faudra attendre le 28 décembre 1895, pour que se déroule la première projection publique, 14 boulevard des Capucines, à Paris. « La sortie des usines Lumière », le premier d'une série de films passés à la postérité : « Le jardinier ou l'arroseur arrosé », « Le Repas de bébé », « La place des Cordeliers » (tous de 1895) et bien d'autres. L'art et l'industrie du cinéma se mettaient en marche. La villa Lumière, rue du Premier-Film à Lyon-Monplaisir, abrite depuis 1978 la Fondation de la photographie, suivie de l'Institut Lumière, destiné à valoriser l'œuvre des Lumière. En 2003, le musée Lumière est ouvert, « dont la visite commence par le Jardin d'hiver de la villa, écrivent Guy et Marjorie Borgé dans leur histoire des Lumière, se termine par le Hangar du Premier-Film, premier décor de l'histoire du cinéma, qui abrite désormais la salle de cinéma de l'Institut Lumière. Le musée offre son regard sur Lumière peintre, sur les origines du cinéma », et également des pièces et documents sur les Lumière photographes et inventeurs…

There was Antoine, the father, and Auguste and Louis, the two sons. The Lumière family succeeded in forever associating its name with one of the most important inventions of the late 19ᵗʰ century: cinematography. At their factory in Lyon-Monplaisir, beginning in 1894, the two brothers spent many hours in the greatest secrecy – thereby arousing the curiosity of their peers – perfecting a machine designed to project *moving* photographs. Their first screening, held privately in Paris on 22 March 1895 before the "Society for the Encouragement of National Industry," met with great success. A second projection was then held in Lyon before a dumbfounded, enthusiastic crowd attending the Congress of French Photographic Societies. However, it wasn't until 28 December 1895 that the first public screening was organized at 14 Boulevard des Capucines in Paris. "Workers Leaving the Lumière Factory" was the first of a series of films that would go down in history, including "The Gardener, or The Waterer Watered," "Baby's Meal" and "La Place des Cordeliers" (all from 1895). The art and industry of movie making had begun. Since 1978, the Villa Lumière, on Rue du Premier-Film in Lyon's Monplaisir neighbourhood, has housed the Photography Foundation, followed by the Lumière Institute, created to showcase the works of the Lumière brothers. In 2003, the Lumière Museum opened, "the visit of which begins in the villa's conservatory," writes Guy and Marjorie Borgé in their history of the Lumière family, "and ends in the Hangar of the First Film, the first movie set in the history of film-making, which now houses the Lumière Institute's cinema. Visitors to the museum can learn about Lumière the painter and the origins of cinema." The museum also houses diverse items and documents on the Lumière family as photographers and inventors.

C'erano Antoine, il padre, e Auguste e Louis, i due figli. I Lumière hanno ormai legato il loro nome a un'invenzione fondamentale della fine del XIX secolo: il cinematografo. Fin dal 1894 i due fratelli passano ore intere nella loro officina di Lione-Monplaisir nel massimo segreto, suscitando la curiosità dei vicini, per mettere a punto un apparecchio destinato a proiettare fotografie… in movimento. La prima rappresentazione – privata – avvenne a Parigi il 22 marzo 1895, alla Società di Promozione dell'Industria Nazionale in rue de Rennes. Un grande successo. Una nuova proiezione fu organizzata a Lione, per il Congresso delle Società francesi di fotografia, dove una folla sbalordita ed entusiasta assisteva allo scorrere de « la vita intensa, ripresa al momento ». Per la prima proiezione pubblica, tenutasi al n° 14 di Boulevard des Capucines a Parigi, occorrerà attendere il 28 dicembre 1895. « L'uscita dalle officine Lumière » fu il primo di una serie di film passati alla storia: «Il giardiniere o l'innaffiatore innaffiato », «Il pasto del bebé », « Place des Cordeliers » (tutti del 1895) e molti altri. L'arte e l'industria del cinema si misero in marcia. La villa Lumière in rue du Premier-Film a Lione-Monplaisir ospita dal 1978 la Fondazione della fotografia, seguita dall'Istituto Lumière, destinata a valorizzare l'opera dei Lumière. Nel 2003 fu aperto il museo Lumière, « la cui visita comincia dal Giardino d'Inverno della villa – scrivono Guy e Marjorie Borgé nella loro storia dei Lumière – e termina con il capannone del Primo-Film, primo apparato scenico della storia del cinema che ospita ora la sala cinematografica dell'Istituto Lumière. Il museo getta uno sguardo sul pittore Lumière, sulle origini del cinema », e allo stesso tempo su pezzi e documenti sui Lumière fotografi e inventori….

La Croix-Rousse
The Croix-Rousse
La Croix-Rousse

Sur ses pentes se dressait le sanctuaire fédéral du culte impérial, dont nous ne possédons que des descriptifs, et cet amphithéâtre, seul vestige d'un ensemble monumental encore visible aujourd'hui. La Croix-Rousse, à ses pieds, abritait Condate, à résonance celtique (« Confluent »), le pagus gaulois bientôt petite ville prospère dans la grande cité. Au Moyen Âge, la Croix-Rousse est un peu comme une campagne aux portes de la ville avec un statut particulier, puisqu'elle appartient au Franc-Lyonnais, groupe de treize communautés qui bénéficiaient de « franchises fiscales ». Ses remparts, érigés au XVIe siècle, firent qu'elle contribuait à protéger Lyon dont elle était cependant indépendante. Une situation qui dura jusqu'en 1852, date à laquelle, le 24 mars, un décret autorisa l'annexion de la commune de la Croix-Rousse. Cultivant ses différences, entre le « plateau » et les « pentes », dans ses rues, à côté des ateliers où le chef travaille avec sa famille, s'alignaient les devantures des marchands d'articles nécessaires au tissage. Là, en effet, était le repaire du « canut », bientôt bousculé par l'évolution économique. La fin du XIXe siècle la fit décrire par l'historien lyonnais Kleinclausz, comme « une petite ville banale, privée de sa population ouvrière de canuts, de plus en plus calme et peuplée d'employés et de petits boutiquiers ». Le siècle suivant finit d'accentuer les mutations, avec de nombreuses opérations d'urbanisme, et, si l'on conserve la « vogue aux marrons », les bistrots « authentiques », préserve son « Gros Caillou », sa « ficelle » (le funiculaire), le marché et sa « Maison des Canuts », la « colline qui travaille » – disait-on pour l'opposer à « la colline qui prie », Fourvière –, la Croix-Rousse n'en est pas moins entrée résolument dans le XXIe siècle…

On its slopes were located a sanctuary of the Roman Empire, of which only descriptions remain, and this amphitheatre, the sole vestige of a monumental grouping that can still be seen today. Nestled at the foot of the Croix-Rousse was Condate (Celtic for "Confluence"), the Gallic *pagus* that would soon become a thriving town within the great city. During the Middle Ages, the Croix-Rousse was actually located just outside the city proper and benefitted from a unique status, belonging to what was known as "Free Lyon": a group of 13 towns enjoying special tax exemptions. Its ramparts, dating from the 16th century, demonstrate that the town contributed to the protection of Lyon, although it was, in fact, an independent town. This unique situation lasted until 24 March 1852, when the Croix-Rousse was officially annexed by the City of Lyon – although this district, located between the "plain" and the "slopes," continued to cultivate its differences. Its streets were lined with the storefronts of merchants selling various items necessary for weaving, next to the family-run workshops. This was the neighbourhood of the "Canuts," Lyon's silk workers, whose trade would soon be disrupted by the changing economy. The Lyon historian Kleinclausz described the Croix-Rousse at the end of the 19th century as "a small, run-of-the-mill town, deprived of its working-class Canuts, increasingly calm and peopled by salaried employees and shopkeepers." The following century, with its numerous urban-development projects, further transformed the district and while the Croix-Rousse has managed to retain its "Vogue des Marrons" street fair, its bistros, the "Gros Caillou" ice age boulder, the funicular railway, its outdoor market and Canut Museum, the "hill that works" (as opposed to the district of Fourvière, known as the "hill that prays") has just as resolutely entered the 21st century.

Sulle sue pendici si ergevano il santuario federale del culto imperiale, del quale possediamo solamente alcune descrizioni, e questo anfiteatro, unico resto di un insieme monumentale visibile ancora oggi. La Croix-Rousse ospitava ai suoi piedi Condate, nome di ascendenza celtica (« Confluenza »), il villaggio gallico divenuto presto piccola città prospera nella grande metropoli. Nel Medio Evo, la Croix-Rousse era un po' come una campagna alle porte della città con uno statuto particolare, perché apparteneva al « Franc Lyonnais », gruppo di tredici comunità che beneficiavano di « franchigie fiscali ». I suoi bastioni, eretti nel XVI secolo, le permisero di contribuire alla difesa di Lione, dalla quale era però indipendente. Una situazione che durò fino al 24 marzo 1852, data in cui un decreto autorizzò l'annessione del comune della Croix-Rousse. Coltivando le proprie differenze, tra il piano e i pendii, nelle sue strade, a fianco dei laboratori dove il padrone lavorava con i familiari, si allineavano i banchi dei mercanti di articoli necessari alla tessitura. In effetti quello era il regno dei setaioli, ben presto travolto dall'evoluzione economica. La fine del XIX secolo la fece descrivere dallo storico lionese Kleinclausz, come "una piccola città banale, privata della popolazione operaia dei setaioli, sempre più calma e popolata da impiegati e piccoli negozianti". Il secolo seguente finì con l'accentuare i cambiamenti con numerosi interventi urbanistici e, pur conservando la "sagra delle castagne", le osterie "autentiche", la "Grossa Pietra", la "cordicella" (la funicolare), il mercato e la "Casa dei Setaioli", la "collina che lavora" – come era detta la Croix-Rousse per distinguerla da Fourvière, la "collina che prega" – è entrata risolutamente nel XXI secolo…

La place Bellecour
Place Bellecour
La piazza Bellecour

Dans ses « Rues de Lyon », Louis Maynard, évoquant la place Bellecour, qui selon les variations politiques s'est aussi appelée « Louis-le-Grand » (mais la statue équestre du roi-soleil ne demeure-t-elle pas, inamovible, en son centre?), de la « Fédération », « Bonaparte », nous donne ses mesures : « 306,50 mètres dans sa longueur; sa largeur moyenne est de 207 mètres; sa surface totale de 62 862 mètres carrés ». Elle doit peut-être son origine à « Bella curtis », qui désignait une vigne donnée au XIIᵉ siècle à l'archevêque de Lyon et qui occupait une partie de cette place? Devenue « Bellecourt », puis « Bellecour » mais aussi le « Pré de Bellecour », elle finit par se transformer en place publique à la demande du roi Henri IV en 1595 et devint propriété du Consulat sous Louis XIII. Une chose est certaine, hormis le chauvinisme local qui consiste à la présenter comme la plus grande place d'Europe, elle est bel et bien le cœur de Lyon, le point 0 à partir duquel sont comptées les distances de la ville. Sa physionomie se transforma au début du XVIIIᵉ siècle lorsqu'apparurent les premières façades. La Révolution et la Convention, décrétant, après le siège de la Ville, que « Lyon n'est plus », la destruction des immeubles de la place fut ordonnée. Ils seront reconstruits à l'initiative de Bonaparte tout comme la statue de Louis XIV sera réinstallée sous la Restauration, grâce à Lemot, en 1826. Centre toujours animé, où figurent les pavillons de l'Office du tourisme et la Maison de Lyon (œuvre de Tony Desjardins en 1856), elle a certes perdu sa voiture aux chèvres et ses jeux d'enfants, son kiosque à musique et la présence autrefois massive de ses marronniers, mais elle est, outre un lieu de passage obligé au cœur de Lyon, le cadre de nombreuses manifestations tout au long de l'année.

In his book, "Rues de Lyon," Louis Maynard says of Place Bellecour, formerly known, depending on the political winds, as Place Louis-le-Grand (i.e. Louis XIV, still firmly ensconced on his horse at the centre of the square), Place de la Fédération and Place Bonaparte: "306.5 metres long, average width of 207 metres, total surface area of 62,862 square metres." The present name perhaps originates from "Bella curtis," which designated a vineyard given in the 12ᵗʰ century to the Archbishop of Lyon and which occupied part of the site. The name evolved from Bellecourt to Bellecour and Pré de Bellecour. The square was made public place at the request of King Henri IV in 1595, later becoming the property of the Consulat under Louis XIII. One thing is sure, beyond the local boasting which claims it to be the largest enclosed public square in Europe, Bellecour is indeed the heart of Lyon, the point from which all local distances are calculated. Its physiognomy was transformed in the early 18ᵗʰ century, when the first façades were built. The Revolution and the Convention, following the siege of Lyon, declared "Lyon exists no longer" and ordered the destruction of the surrounding buildings. They were rebuilt by Bonaparte, and a statue of Louis XIV, by Lemot, was reinstated under the Restauration in 1826. The square has lost its goat-pulled carts and playground, its bandstand and massive chestnut trees, but it is still a lively spot, home to the Tourist Office and the Maison de Lyon (built by Tony Desjardins in 1856), hosting numerous outdoor events throughout the year.

Nel suo libro "Vie di Lione" Louis Maynard, ricordando la Piazza Bellecour che, secondo il momento politico, è stata anche chiamata "Louis-le-Grand" (ma la statua equestre del Re Sole non rimane forse inamovibile al suo centro?), della "Fédération", "Bonaparte", ce ne fornisce le misure: "306,50 metri di lunghezza; la sua lunghezza media è di 207 metri, la sua superficie totale è di 62.862 metri quadrati". Essa deve forse la sua origine a "Bella curtis", denominazione di un vigna donata nel XII secolo all'arcivescovo di Lione che occupava una parte di questa piazza? Diventata "Bellecourt", poi "Bellecour" ma anche il "Prato di Bellecour", alla fine si trasformò in piazza pubblica su richiesta del re Enrico IV, nel 1595, e diventò di proprietà del Consolato sotto Luigi XIII. Una cosa è certa: a parte lo sciovinismo locale che continua a presentarla come la più grande Piazza d'Europa, essa è proprio il cuore di Lione, il punto 0 a partire dal quale sono contate le distanze della città. La sua fisionomia si trasformò all'inizio del XVIII secolo quando apparvero le prime facciate. La Rivoluzione e la Convenzione, decretando dopo l'assedio della Città, che "Lione non c'è più", ordinarono la distruzione degli immobili della piazza. Furono poi ricostruiti per iniziativa di Bonaparte, mentre la statua di Luigi XIV fu reinstallata grazie a Lemot nel 1826, nel periodo della Restaurazione. Centro sempre animato, con i padiglioni dell'Ufficio del Turismo e la Casa di Lione (opera di Tony Desjardins del 1856), ha certamente perso la sua carrozza trainata da capre e i giochi per bambini, il chiosco della musica e la presenza una volta imponente dei suoi castagni ma, oltre a essere un luogo di passaggio obbligato nel cuore di Lione, è il luogo di numerose manifestazioni durante tutto l'anno.

LOVIS XIV
ROI DE FRANCE
1638 1715

1638 1715

Le musée de la miniature
Museum of Miniatures
Il Museo della Miniatura

« Elle a été surnommée la « Cour de la Basoche » par les membres du barreau de Lyon, cette « maison des Avocats » qui, dans le « Vieux-Lyon », à Saint-Jean, a été reconstruite en 1516 « à la place de l'ancienne auberge de la Croix d'Or, fondée en 1471, et dont il ne reste que la porte cochère. Acquise par l'ordre des avocats lyonnais en 1979, sous l'impulsion du bâtonnier Paul Bouchet, un audacieux plan de restauration, en partie exécutée par les avocats eux-mêmes, permet de mettre en valeur une exceptionnelle façade à trois niveaux de galeries à arcades surbaissées. Elle fut la première maison des avocats de France » (Gérald Gambier, *Le Vieux-Lyon*, La Taillanderie). Mais c'est aussi devenu, depuis 2005, le siège du musée des Miniatures et décors de cinéma qui existait depuis 1990 à Lyon. Il a été conçu et est animé par le miniaturiste Dan Ohlmann, qui était à l'origine ébéniste et sculpteur, puis décorateur et architecte d'intérieur avant de réaliser des décors pour le théâtre et l'opéra. De là est venue sa passion pour la création de scènes miniaturisées. Ce musée se présente comme « un concept unique sur le sol français », avec « deux expressions artistiques rares. Celle des décors miniatures, scènes hyper-réalistes de l'artiste lyonnais, entourées d'œuvres de miniaturistes venus du monde entier. Celle des décors de cinéma, véritables plateaux de tournage à parcourir sur plus de 500 m². Ces authentiques décors de films sont agrémentés d'un espace pédagogique riche de projections, maquettes, prothèses et objets factices divers ayant servi aux effets spéciaux dans le cinéma. »

« The nickname of the site is "Cour de la Basoche" (a pejorative term for the legal trade), mostly occupied by the Lyon Bar Association, in the heart of Old Lyon, in the Saint Jean district. It was built in 1516 on the site of a former tavern, the Croix d'Or, established in 1471, of which only the great carriage door remains. Bought by the Bar Association in 1979, under the guidance of its president, Paul Bouchet, the site was given an audacious makeover, in part carried out by the lawyers themselves. The renovation highlights the exceptional façade with its three levels of arched galleries. It was the first Maison des Avocats (bar offices) in France (Gérald Gambier, *Le Vieux-Lyon*, La Taillanderie). And since 2005 it has also become home to the Museum of Miniatures and cinema decors, which was created in 1990 in Lyon by the miniaturist artist, Dan Ohlmann, formerly a cabinet-maker and sculptor, then an interior designer and architect, before he moved on to create stage settings for the theatre and opera. This was when he developed a passion for creating miniaturised stages. He calls his museum "a concept unique in France," combining two rare forms of artistic expressions, that of miniature decors, hyper-realistic scenes crafted by the Lyon artist, surrounded by works by miniaturists from all over the world, and that of cinema decors, from film studios, covering a space of more than 500 square meters. These genuine film decors are explained in an area offering film screenings, models, disguises and other mock items used for special effects. »

« È stato soprannominato la "Corte della Basoche" (corporazione del personale addetto all'amministrazione della giustizia) dai membri del foro di Lione, questa "Casa degli Avvocati" che, nella "Vecchia Lione", a Saint Jean, è stata ricostruita nel 1516 "al posto dell'antica locanda della Croce d'Oro, fondata nel 1471, della quale resta solo il portone. Fu acquisita dall'ordine degli avvocati lionesi nel 1979, sotto la guida del presidente del collegio forense Paul Bouchet. Un audace progetto di restauro, in parte eseguito dagli stessi avvocati, permise di valorizzare un'eccezionale facciata con gallerie ad arcate ribassate su tre livelli. Fu la prima casa degli avvocati di Francia (Gérald Gambier, *Le Vieux-Lyon*, La Taillanderie). Ma dal 2005 è anche diventata la sede del museo delle Miniature e delle scenografie del cinema, esistente a Lione dal 1990. Il museo è stata ideato ed è animato dal miniaturista Dan Ohlmann, in origine ebanista e scultore, poi decoratore e architetto d'interni prima di realizzare alcune scenografie per il teatro e l'opera. Questa è l'origine della sua passione per la creazione delle scene miniaturizzate. Questo museo si presenta come "un concetto unico sul suolo francese", con "due espressioni artistiche rare. Quella delle scenografie in miniatura, scene iper-realistiche dell'artista lionese circondate da opere di miniaturisti venuti da tutto il mondo. Quella delle scenografie del cinema, autentiche scene di ripresa da visitare su più di 500 mq.. Queste autentiche scenografie dei film sono ravvivate da uno spazio pedagogico ricco di proiezioni, bozzetti, protesi e vari oggetti artificiali serviti per gli effetti speciali nel cinema".

Les places et fontaines de Lyon
Squares and fountains of Lyon
Le piazze e le fontane di Lione

Outre la place Bellecour, évoquée par ailleurs, Lyon ne manque de « dégagements », que l'on appelle, comme ailleurs, des places. Un record est peut-être établi par celle des Jacobins, dans la Presqu'île, avec les changements de nom : place Confort en 1740, des Jacobins en 1782, de la Fraternité en 1794, de la Préfecture en 1858, de l'Impératrice en 1868, et de nouveau place des Jacobins, depuis 1871. Quoi de plus normal puisque les Frères de l'Ordre de Saint-Dominique s'établirent à Lyon au XIIIe siècle et leur église demeura en ces lieux jusqu'au début du XIXe siècle. Les fontaines ne furent pas en reste mais c'est finalement celle de l'architecte Gaspard André, chargée de sculptures variées, qui demeure. La place des Terreaux, devenue depuis le XVIIe siècle le cœur politique de la cité avec l'hôtel de ville, a conservé, en la changeant d'emplacement, la fameuse fontaine de Bartholdi, destinée à Bordeaux, mais achetée par la municipalité et installée là en 1892. Une place qui, dans le cadre d'une politique de reconquête des espaces publics, a été réaménagée en 1994 par Daniel Buren, avec la mise en fonction de 69 mini-fontaines au niveau du sol. Transformée aussi, la place Carnot, l'une des plus belles de Lyon, mais profondément modifiée dans les années 1970 avec l'installation du Centre d'échange de Perrache et la percée de la ligne A du métro. Il en est de même pour la place de la République, de la Bourse, des Célestins, Tolozan et, de l'autre côté du Rhône, pour les places du Maréchal-Lyautey (ancienne place Morand) et Gabriel-Péri (ancienne place du Pont)…

In addition to Place Bellecour, described above, Lyon has plenty of other squares and open spaces. Place des Jacobins in the Presqu'île district holds a rather unusual record, that of the most name changes: Place Confort in 1740, Place des Jacobins in 1782 , Place de la Fraternité in 1794, Place de la Préfecture in 1858, Place de l'Impératrice in 1868, and again Place des Jacobins, since 1871. The Brothers of the Order of Saint-Dominique set up here in the 13th century and their church occupied the site until the early 19th century. The fountains also came and went and it is finally the one designed by the architect Gaspard André, in charge of various sculptures for the city, which remains today. Place des Terreaux, the political heart of the city since the 17th century, thanks to the presence of the town hall, has kept its fountain, albeit in a different spot, designed by the famous Bartholdi (Statue of Liberty), originally made for the city of Bordeaux, but purchased in the end by Lyon and set up on the square in 1892. This square, as part of the town's effort to restore public spaces, was redesigned in 1994 by Daniel Buren, who installed 69 mini-fountains flush with the pavement of the square. As for Place Carnot, one of the most beautiful in Lyon, though it suffered greatly from the changes made in the 1970s with the arrival of the new Perrache train station and the underground metro line A. Other squares have been entirely renovated as well: Place de la République, Place de la Bourse, Place des Célestins, Place Tolozan and, on the other side of the Rhône, Place Maréchal Lyautey (formerly Place Morand) and Place Gabriel Péri (formerly Place du Pont).

Oltre alla già citata Piazza Bellecour, Lione non manca di "aperture" che si chiamano, come altrove, piazze. Quella dei Giacobini, nella Penisola, è probabilmente detentrice del record dei cambiamenti di nome: Piazza Confort nel 1740, dei Giacobini nel 1782, della Fraternità nel 1794, della Prefettura nel 1858, dell'Imperatrice nel 1868, e di nuovo Piazza dei Giacobini, dal 1871. Nulla di strano, poiché i Frati dell'Ordine di San Domenico si stabilirono a Lione nel XIII secolo e la loro chiesa restò in questi luoghi fino all'inizio del XIX secolo. Le fontane non furono da meno, ma alla fine rimase quella dell'architetto Gaspard André, carica di varie sculture. La piazza dei Terreaux, diventata dal XVII secolo il cuore politico della città con il Municipio, ha conservato, pur cambiandone la posizione, la famosa fontana di Bartholdi, destinata a Bordeaux ma acquistata dalla municipalità e installata nel 1892. Una piazza che, nell'ambito di una politica di riconquista degli spazi pubblici, è stata risistemata nel 1994 da Daniel Buren con la messa in funzione di 69 mini-fontane al livello del suolo. Trasformata anche la piazza Carnot, una delle più belle di Lione, ma profondamente modificata negli anni 1970 con l'insediamento del Centro di Cambio di Perrache e il passaggio della linea A della metropolitana. Lo stesso dicasi per la Piazza della Repubblica, della Borsa, dei Celestini, Tolozan e, dall'altra parte del Rodano, per le piazze Maresciallo Lyautey (antica piazza Morand) e Gabriel Péri (antica piazza del Ponte)…

∧ Place Antonin-Poncet

∧ Place du Maréchal-Liautey Place des Terreaux ∨ Place Antoine-Vollon ∧ Place des Jacobins Place Sergent-Blandan

Le parc de la Tête d'Or
Tête d'Or Park
Il parco della Testa d'Oro

Ce magnifique « poumon vert » de Lyon a été envisagé au XVIIIᵉ siècle, mais il est une réalisation du Second Empire. C'est le préfet Vaïsse qui confia à Joseph-Gustave Bonnet, ingénieur en chef de la ville, la charge de réaliser un projet d'espace naturel, plus sain que les « guinguettes » mal fréquentées, et fournir à la bourgeoisie un site où « seraient offertes des allées cavalières pour la parade des équipages à l'image du bois de Boulogne ». Le paysagiste choisi fut l'aîné des frères Bülher. Les travaux seront laborieux, dans un site difficile. L'accès aux piétons fut autorisé en juin 1857, mais il faudra patienter pour voir la grande serre, le chalet restaurant, la première vacherie en 1862, année où apparaissent les animaux du parc zoologique… Aujourd'hui, le parc de la Tête d'Or comprend quatre roseraies, un jardin botanique avec 15 000 plantes répertoriées. Le parc zoologique compte environ 1 000 animaux se répartissant en 300 d'élevage et 700 sauvages (250 mammifères, 300 oiseaux, 80 reptiles, 70 poissons), dont le lion de l'Atlas, la panthère de Chine, la panthère de l'Amour, le tigre du Bengale, le serval, l'ours brun d'Europe, la girafe, l'éléphant d'Asie, l'anaconda, le crocodile du Nil, etc. Une plaine africaine, enclos exposant les thèmes de la biodiversité et du développement durable à travers la mise en scène du biotope savane arborée, a été inaugurée à la fin de l'année 2006. Un vélodrome, reconstruit en 1934, a installé les disciplines du cyclisme sur piste dans l'enceinte du parc, et un monument aux morts a été inauguré en 1930 sur l'île aux Cygnes, au milieu d'un lac que les romantiques aiment à parcourir en barque. Quant au nom de « Tête d'Or », il est attaché à l'histoire d'un trésor – « une tête de Christ en or » – qu'à ce jour personne encore n'a découvert…

This magnificent park is Lyon's main "breathing space." It was planned for in the 18th century but was not built until the Second Empire. The Prefect Vaïsse entrusted the task to Joseph-Gustave Bonnet, the city's chief engineer. He was responsible for creating a nature area, intended to be healthier than the lowly "guinguettes" along the waterfront and to give the bourgeoisie a place to parade their carriages and finery, in imitation of the Bois de Boulogne outside of Paris. The elder Bülher brother was chosen to design the landscaping of the park. The works proved laborious, on difficult terrain. The park was finally opened to pedestrians in June 1857, but the great greenhouse, the chalet restaurant, the dairy farm and the zoo were not completed until 1862. Today, Tête d'Or Park has four rose gardens and a botanical garden with 15,000 listed plants. The zoo has about 1000 animals, including 300 farm animals, 700 wild animals (250 mammals, 300 birds, 80 reptiles, 70 fish), the most popular being the Atlas lion, the Chinese panther, the Bengal tiger, the serval, the European brown bear, the giraffe, the Asian elephant, the anaconda and the Nile crocodile. A recent development at the zoo was the inauguration in 2006 of an African plain, focussing on the themes of biodiversity and sustainable development in a setting which recreates a savannah biotope. The park also has a cycling race track, built in 1934, and an exceptional monument to dead inaugurated in 1930 on the Swan Island in the middle of the park's lake. The lake is often dotted with the row boats favoured by romantic couples. As for the name of the park, Tête d'Or comes from a legend of buried treasure – a golden head of Christ – which has eluded even the most persistent searches.

Questo magnifico " polmone verde" di Lione è stato ideato nel XVIII secolo, ma è una realizzazione del Secondo Impero. Il prefetto Vaïsse affidò a Joseph-Gustave Bonnet, ingegnere-capo della città, l'incarico di realizzare un progetto di spazio naturale, più sano delle "osterie" mal frequentate, e di offrire alla borghesia un posto dove "si sarebbero offerti galoppatoi per la parata degli equipaggi come al Bois di Boulogne". Come paesaggista fu scelto il maggiore dei fratelli Bülher. I lavori furono laboriosi, in un luogo difficile. L'accesso ai pedoni fu autorizzato nel giugno del 1857, ma fu necessario pazientare per vedere la grande serra, lo chalet ristorante, la prima stalla nel 1862, anno in cui apparvero gli animali del giardino zoologico… Oggi il parco della Testa d'Oro comprende quattro roseti, un orto botanico con 15.000 piante classificate. Il Giardino Zoologico conta circa 1.000 animali che si suddividono in 300 d'allevamento e 700 selvatici (250 mammiferi, 300 uccelli, 80 rettili, 70 pesci), tra i quali il leone dell'Atlante, la pantera della Cina, la pantera dell'Amur, la tigre del Bengala, il gattopardo africano, l'orso bruno europeo, la giraffa, l'elefante asiatico, l'anaconda, il coccodrillo del Nilo, ecc. Alla fine del 2006 è stata inaugurata una piana africana, recinto che espone i temi della biodiversità e dello sviluppo sostenibile attraverso la messa in scena del biotopo savana arborea. Un velodromo ricostruito nel 1934 ha portato le discipline del ciclismo su pista all'interno del parco, e nel 1930 è stato inaugurato un monumento ai caduti sull'isola dei Cigni, al centro del lago che i romantici amano attraversare in barca. Il nome "Testa d'Oro" è legato alla storia di un tesoro – "una testa di Cristo in oro" – che fino a oggi nessuno ha ancora scoperto…

L'O.L., le stade de Gerland, le futur stade
Olympique Lyonnais football club, Gerland stadium and the future stadium
L'O.L., lo stadio di Gerland, il futuro stadio

« Situé au sud de la ville, le stade a son entrée avenue Jean-Jaurès prolongée. Il se compose de terrains de jeux et de pistes pour les concours athlétiques, des jeux olympiques et de bâtiments de services indispensables. Au centre, terrain en pelouse servant principalement au football rugby »… Ainsi était présenté peu après la Première Guerre mondiale le tout neuf stade implanté à Gerland sur les plans de l'architecte Tony Garnier, avec des visées olympiques qui ne furent jamais satisfaites. Du côté du spectacle sportif, il faudra d'ailleurs attendre quelques années, pour le football tout au moins, avant de vibrer. Très exactement l'année 1950 au cours de laquelle on salue la naissance de l'Olympique lyonnais, un club qui, en quelques saisons, atteint l'élite. Le premier titre viendra en 1964 avec la coupe de France, grâce à des joueurs qui marqueront leur époque, comme Aubour, Combin, Di Nallo, Rambert et Djorkaeff. Le palmarès s'étoffera avec deux autres coupes de France en 1967 et 1973 mais surtout, de 2002 à 2008, il se couvre de la cape prestigieuse de champion de France qui vaut à l'Olympique lyonnais de se mesurer, au niveau européen, aux plus grandes équipes. Mais il manque, à la hauteur des ambitions du club lyonnais dirigé par Jean-Michel Aulas, un stade de grande capacité (60 000 places au moins au lieu des 40 000 du stade de Gerland actuel). Le choix s'est porté, à la périphérie, sur la ville de Décines pour établir, à l'horizon 2010-2012, entre Lyon et l'aéroport de Saint-Exupéry, « OL Land », un futur grand centre pour un stade de prestige où seront aussi prévues des activités commerciales.

"Located in the south of the city, the stadium has its entrance on Avenue Jean-Jaurès. It has pitches and tracks for athletic competitions and Olympic games, as well as service buildings. In the centre, there is a grass pitch used primarily for rugby." This is how the brand new Gerland stadium was presented shortly after the First World War. Designed by the architect Tony Garnier, with Olympic dreams which never came true. As for sporting events, fans had to wait quite some time, as concerns football anyway, for things to get exciting. It was not until 1950 that the Olympique Lyonnais football club was established, and in just a few seasons, it became a top team. The first big victory came in 1964, with the French Cup title, thanks to young players who marked their era: Aubour, Combin, Di Nallo, Rambert and Djorkaeff. The club added to its prestige by winning the cup again in 1967 and 1973. Above all, the club has had a fabulous winning streak since 2002 holding onto the coveted French championship and joining the elite of European teams. But the team, managed by Jean-Michel Aulas, is now hoping to build a stadium commensurate with its ambitions, with a capacity of 60,000 seats, instead of the 40,000 at Gerland stadium. A site has been chosen in the town of Décines, between Lyon and Saint-Exupéry airport, to build an "OL Land" by 2010-2012, with a brand new stadium and prestigious sports centre, as well as retail businesses.

« Situato a sud della città, lo stadio ha l'ingresso sul prolungamento di Avenue Jean Jaurès. Comprende terreni da gioco e piste per le gare atletiche, giochi olimpici e strutture per i servizi indispensabili. Al centro, il prato erboso serve principalmente al rugby". Così era stato presentato poco dopo la Prima Guerra Mondiale il nuovo stadio costruito a Gerland su progetto dell'architetto Tony Garnier, con ambizioni olimpiche che non furono mai soddisfatte. Dal punto di vista dello spettacolo sportivo, si dovette aspettare ancora qualche anno, almeno per il calcio, prima di cominciare a vibrare. Accadde esattamente nell'anno 1950, con la nascita dell'Olympique lyonnais, una squadra che raggiunse i vertici in poche stagioni. Il primo titolo arrivò nel 1964 con la coppa di Francia, grazie a giocatori che marcarono la loro epoca, come Aubour, Combin, Di Nallo, Lambert e Djorkaeff. L'albo d'oro si arricchì di altre due coppe di Francia nel 1967 e 1973 ma, soprattutto, dal 2002 al 2008 si fregiò del prestigioso titolo di Campioni di Francia che valse all'Olympique lionese la possibilità di misurarsi con le più grandi squadre a livello europeo. Manca però uno stadio di grande capienza (almeno 60.000 posti contro i 40.000 dello stadio attuale di Gerland) all'altezza delle ambizioni del club lionese diretto da Jean-Michel Aulas. La scelta è caduta sulla città di Décines, in periferia, per realizzare intorno al 2010-2012, tra Lione e l'aeroporto di Saint-Exupéry, "OL Land", un futuro grande centro per uno stadio prestigioso dove saranno previste anche attività commerciali.

Toutes nos nouveautés et notre catalogue
ainsi que les actualités des

Éditions la Taillanderie

sur notre site :

www.la-taillanderie.com

© Éditions La Taillanderie, 2010
384, rue des Frères-Lumière – 01400 Châtillon-sur-Chalaronne
tél. 04 74 55 16 59 – fax 04 74 55 14 27
email : contact@la-taillanderie.com

ISBN 978-2-87629-379-3 : version français/anglais/italien
ISBN 978-2-87629-128-7 : version français/allemand/espagnol

Infographie
com une souris graphique – tél. 04 75 45 55 48

Achevé d'imprimer en novembre 2010
Dépôt légal quatrième trimestre 2010
Imprimé en Union Européenne sur les presses de Beta Editorial Barcelona